U0115251

文學研究叢書・戲曲研究叢刊

湯顯祖研究文獻目錄續編

（1996-2016）

陳美雪　主編

毛祥年
鐘婉毓　編輯

自序

　　一九九六年為了寫升副教授的論文《湯顯祖的戲曲藝術》，外子林慶彰先生建議先編《湯顯祖研究文獻目錄》，以掌握資料。一九九六年十二月目錄出版（以下簡稱《初編》）。該書收錄一九〇〇至一九九五年間，研究湯顯祖之專著和論文條目。苗懷民先生在所著《二十世紀戲曲文獻學述略》（北京市：中華書局，2005年6月），曾評論此文獻目錄說：

> 　　陳美雪的《湯顯祖研究文獻目錄》，是近年出版的一部專題文獻目錄，1996年由臺灣學生書局出版。該書主要收錄1900年至1995年間有關湯顯祖研究的專著、論文，包括期刊、報紙、論文集、學位論文、會議論文等各種形式刊載收錄的論文。全書共設條目1400餘條，全面反映了兩岸三地及海外地區的研究成果，是同類目錄中收錄最全的。收錄完備、體例完善是該書的兩個明顯特點。（頁151）

　　現在是二〇一七年，距該書收錄文獻條目期限一九九五年，轉眼間已過了二十年。這二十年間，研究湯顯祖的論著增加了不少，可是市面上並沒有看到新編的湯顯祖目錄。午夜夢迴難免心有遺憾，且已編的《初編》也得到好評，前人美言鼓勵，為自己增加不少信心，編《續編》就義不容辭。於是在二〇一三年底開始了《續編》的編輯工作。

　　編《續編》雖然和編《初編》的時代相距不遠，但編輯方法已大不相同，編《初編》時，各個網站和資料庫還不大發達，只能利用各種紙本工具書，工具書不足之處，再到圖書館把所缺的期刊、學報借出來，逐期把相關篇目抄錄在書目卡上，這樣做，整本目錄所收的篇目會比較完整。編《續編》時，恰好倒過來，先檢查各個網站和資料庫，把相關的條目錄下來，資料庫所不足的，再找紙本文獻來補充。這本《續編》本來收錄文獻的下限是到二〇一三年，當時把收錄的資料，請國立臺北護理健康大學的鐘婉毓同學輸入電腦，我把她輸入的條目，按《初編》的分類來編排，各條目再加上流水號，即可送交出版社。沒料到外子林慶彰先生接二連三地動了頸部和腰椎的手術，這兩三年間，要上課教書，又要跑醫院、照顧家裡，實在心力交瘁，目錄延宕至今未能出版，也是可以想見的事了。

　　曾永義教授是臺灣當代古典戲曲研究巨擘，由於世新大學禮聘他來校任教，因此很幸運地能旁聽他七、八年的課，不但增加自己對古典戲曲的認識與了解，課堂上曾提及的相關論題也給我不少啟發，為編輯此目錄打下基礎。課後老師更給我很多的指導和支持，為了不辜負老師的期許，編輯《續編》更須勉力完成。

　　去年底，外子所指導的臺北大學古典文獻學研究所碩士畢業生毛祥年，來家裡擔任助理，就請他把二〇一四至二〇一六年間，有關湯顯祖的研究資料逐筆錄下來，計有八百多條，經分類後，再插入已編好的《續編》稿本中。由於毛祥年具有相當不錯的文獻學知識，整個目錄《續編》的完整稿很快就完成了，我前後校訂兩遍，類目作了一些更動，如《初編》牡丹亭第五類「主題與思想」，到了《續編》研究的論文條目更多，所以將類目擴大為「思想研究」，下分通論、主題思想、引用經典、儒家思想、美學思想、至情論、女性意識。又如；牡丹亭第十四類「外文譯本研究」，本來不分類，因為研究成果

多了，就把收錄的條目分為總論、汪譯本、白之譯本、其他譯本四小類。這樣的分類才能真正反映學術發展的實情。

　　這本《續編》除了前文提到類目要隨學術的發展而有所調整，從所收的論文條目，也可看出湯顯祖研究的趨勢，如討論湯氏至情論的論文多達八十多篇，足見此一論題在湯氏研究中的重要性。又如前文已提過的《牡丹亭》外文譯本研究，收錄條目多達六十多條，是《初編》的六十倍，可見湯氏研究的擴展方向。這些如果不是編輯目錄，不可能那麼容易得到這樣的認識。

　　本書編輯過程中，感謝中央研究院中國文哲研究所圖書館前主任劉春銀女士通讀全書各條目。世新大學中國文學系主任張雪媖博士協助解說部份英文的辭義，以方便分類。毛祥年負責增補條目、全書體例的統一、內文的校勘等，用力最多，在此，致以深深的感謝。湯顯祖是歷史上一位偉大的戲曲家，他的生平和劇作豐富精彩，後代研究更是多元紛呈，資料無所不在，我們很難完全掌握，條目恐有不少遺漏，學殖有限，分類不當在所難免。為了使此目錄能夠更加齊備，讀者在使用過程中如發現錯誤和遺漏，懇請多賜予指教。

二〇一七年四月誌於世新大學中國文學系

編輯說明

一、本目錄蒐集一九九六至二〇一六年間臺灣、中國大陸、日本、歐美等地研究湯顯祖之專著、論文條目,是拙編《湯顯祖研究文獻目錄》(臺北市:臺灣學生書局,1996年12月)的續編。

二、本目錄所收之專著,包括單行之專著和收入叢書者;論文包括期刊論文、報紙論文、論文集論文、學位論文、學術會議論文等。

三、本目錄分為十四個部分:(一)時代背景與傳記;(二)湯氏著作;(三)劇作總論;(四)紫簫記;(五)紫釵記;(六)牡丹亭;(七)南柯記;(八)邯鄲記;(九)湯沈之爭;(十)紀念活動;(十一)對國外的影響;(十二)綜合性論文集;(十三)研究期刊;(十四)書目文獻,每一類下又分小類。

四、本目錄所收之專著和論文條目,係採混合排列。資料內容如涉及兩類以上者,則予以互見,以方便檢索。

五、各類論著之著錄項如下:

　　1. 專書:作者、書名、出版地、出版者、頁數、出版年月。

　　2. 期刊論文:作者、篇名、期刊名、卷期、頁數、出版年月。

　　3. 報紙論文:作者、篇名、報紙名、出版年月、版次。

　　4. 論文集論文:作者、篇名、論文集名、頁數、出版地、出版者、出版年月。

　　5. 學位論文:作者、篇名、畢業所別或專業別、頁數、年度。

6.學術會議論文：作者、篇名、會議名稱、舉辦地點、舉辦機
構、舉辦時間。

　各著錄項有缺項者不預留空格。

六、本目錄所收外文條目，均依原來之語文著錄，原條目後附中文譯
　名者則加以保留。

七、全書後有附錄〈參考文獻〉，以示不掠前人之美。

目次

湯顯祖研究文獻目錄續編

一　時代背景與傳記

（一）時代背景

0001 許艷文　略論王學左派對湯顯祖思想及戲曲《牡丹亭》創作的影響
　　　　　　長沙大學學報　1997年第1期　頁38-41　1998年3月

0002 許艷文　略論王學左派對湯顯祖思想及創作的影響
　　　　　　中國文學研究　1999年第1期　頁46-49　1999年

0003 蔡邦光　羈絆與掙扎——湯顯祖出入世觀的較量
　　　　　　撫州師專學報　2000年第3期　頁63-66轉頁85　2000
　　　　　　年9月

0004 崔洛民　湯顯祖的江西意識與後七子的批評
　　　　　　紀念湯顯祖誕辰450周年學術研討會論文　江西省撫
　　　　　　州市政府主辦　2000年8月23-25日

0005 黃建榮、章軍華　臨川儺俗對湯顯祖戲曲創作的影響
　　　　　　湯顯祖首屆年會論文　浙江遂昌縣　浙江省文化廳主
　　　　　　辦　2001年8月

0006 張　青　湯顯祖與前後七子的傳承關係
　　　　　　聊城大學學報（社會科會版）　2003年第1期　頁102-
　　　　　　106　2003年

0007 鄧新躍　湯顯祖與明代復古派文學思潮

0026 李舜華　試論劉鳳與湯顯祖的樂律之爭——從隆萬政治的複雜變局
　　　　　　說起

　　　　　　　　　文化遺產　2016年第6期　頁1-9轉頁157　2016年

0027 郭英德　喧囂與寂寞——1616年前後劇作家湯顯祖的自塑與他塑

　　　　　　　　　澳門理工學報（人文社會科學版）　第19卷第3期

　　　　　　　　　頁5-21轉頁203　2016年7月

0028 韋明鏵　湯顯祖與明代揚州昆曲

　　　　　　　　　浙江藝術職業學院學報　2016年第2期　頁6-9　2016年

0029 胡一峰　作為體制邊緣人的湯顯祖

　　　　　　　　　文史天地　2016年第10期　頁22-25　2016年

（二）傳記

0030 張　林　論中國音樂節拍學家——沈璟和湯顯祖

　　　　　　　　　黃鐘——武漢音樂學院學報　1997年第1期　頁15-21

　　　　　　　　　1997年

0031 鄧建新　湯顯祖剛直不阿

　　　　　　　　　教師博覽　1997年第6期　頁18　1997年

0032 熊曉萍　赤誠情懷湯顯祖

　　　　　　　　　中國典籍與文化　1999年第2期　頁40-42　1999年

　　　　　　　　　古今藝文　第23卷第4期　頁68-71　2007年8月

0033 李真瑜　湯顯祖

　　　　　　　　　瀋陽市　春風文藝出版社　1999年

0034 李科友　湯顯祖與書院

　　　　　　　　　江西社會科學　2000年第10期　頁104-106　2000年

1. 傳略

0047 王寅明　湯顯祖痛哭

　　　　　　四川戲劇　1997年第5期　頁46　1997年

0048 Chen-Shizheng　The Fate of Tang-Xianzu（湯顯祖的命運）.Index on

　　　　　　Sensorship, 1998,06

0049 傅林輝　湯顯祖「四夢」外的人生

　　　　　　撫州師專學報　2000年第3期　頁86-89　2000年9月

0050 范繹民　神情清遠更臨川──論湯顯祖的廉政意識

　　　　　　江西師範大學學報　2000年第4期　頁29-32　2000年
　　　　　　11月

0051 徐朔方　湯顯祖和梅毒

　　　　　　文學遺產　2000年第3期　頁100-102　2000年

0052 龔重謨　對「湯顯祖死于梅毒」之說質疑

　　　　　　撫州師專學報　2001年第4期　頁22-24　2001年12月

0053 黃建榮　湯顯祖致力教育的主要原因

　　　　　　江西社會科學　2001年第3期　頁159-162　2001年

0054 王海平　湯顯祖二疑考

　　　　　　廣西廣播電視大學學報　2001年第2期　頁59-61
　　　　　　2001年6月

0055 崔洛民　湯顯祖之江西意識及其與吳文人的矛盾

　　　　　　戲劇藝術　2001年第1期　頁102-108　2001年

0056 徐宏圖　自招檀痕教小伶──湯顯祖教戲小議

　　　　　　湯顯祖首屆年會論文　浙江遂昌縣　浙江省文化廳主
　　　　　　辦　2001年8月

0057 雷麗平　湯顯祖棄官原因之我見

　　　　　　　湯顯祖首屆年會論文　浙江遂昌縣　浙江省文化廳主
　　　　　　　辦　2001年8月

0058 李　玫　才華橫溢　本色率真——湯顯祖的寫戲、做人與為官
　　　　　　　當代戲劇　2002年第3期　頁36-37

0059 萬斌生　巧研朱墨寫湯翁——評鄒自振《湯顯祖綜論》
　　　　　　　福州師專學報　2002年第1期　頁96-100　2002年2月

0060 姚澄清　關於湯顯祖族系源流的新材料
　　　　　　　撫州師專學報　2002年第1期　頁8-12　2002年3月

0061 鄒元江　湯顯祖靈根睿源論
　　　　　　　衡陽師範學院學報　2003年第2期　頁68-74　2003年
　　　　　　　4月

0062 龔彩云　湯顯祖：明朝著名戲曲家、遂昌好知縣
　　　　　　　今日浙江　2003年第19期　頁45　2003年

0063 鄒自振　湯顯祖與采茶戲、宜黃腔及故鄉臨川
　　　　　　　古典文學知識　2003年第5期　頁106-111

0064 黃文錫　湯顯祖：曠代情聖
　　　　　　　南昌市　江西人民出版社　381頁　2003年

0065 湯顯祖研究會　湯顯祖研究通訊
　　　　　　　杭州市　中國戲曲會湯顯祖研究會　2004年

0066 連邵名　有關湯顯祖史料的新發現
　　　　　　　戲曲藝術　2004年第2期　頁89-90　2004年5月

0067 蔡文錦　東方的莎士比亞——論泰州學派後期重要傳人、戲劇大師
　　　　　　　湯顯祖
　　　　　　　南京廣播電視大學學報　2004年第3期　頁33-38
　　　　　　　2004年

0068 方任飛　汪廷訥傳奇人生與湯顯祖的徽州行

　　　　　　黃山學院學報　2004年第2期　頁30-32　2004年4月

0069 黃禹康　湯顯祖的政治生涯

　　　　　　文史天地　2004年第9期　頁22-23　2004年

　　　　　　文史春秋　2006年第9期　頁62-63　2006年

0070 于永旗　秋江雁影臨川夢　游子歸宗費躊旋──湯顯祖家族南遷客

　　　　　　家始祖有關資料的解讀、厘訂和蠡測

　　　　　　（上）池州師專學報　2004年第2期　頁95-101　2004

　　　　　　年4月

　　　　　　（下）池州師專學報　2004年第6期　頁83-91　2004

　　　　　　年12月

0071 丁　果　湯顯祖的政治生涯

　　　　　　檔案時空　2005年第1期　頁38-40　2005年

0072 河　流　至情至性湯顯祖

　　　　　　小學生之友　2005年第3期　頁23-26　2005年

0073 鄒元江　湯顯祖新論

　　　　　　臺北市　國家出版社　564頁　2005年6月

0074 鄒元江　湯顯祖新論

　　　　　　上海市　上海人民出版社　2015年

0075 張　康　湯顯祖的故事

　　　　　　語文天地　2005年第8期　頁25-26　2005年

0076 吳達榮　湯顯祖棄官的直接原因

　　　　　　戲文　2006年第1期　頁61　2006年

0077 張邦人　臨川，守望東方莎士比亞

　　　　　　旅遊　2006年第9期　頁28-41　2006年

0089 譚勇奇　玉茗堂
　　　　　　　浙江消防　2002年第3期　頁41

0090 李建軍　湯顯祖的亢直與堅正
　　　　　　　文學自由談　2016年第5期　頁33-43　2016年

0091 葉長海　走近湯顯祖
　　　　　　　世紀　2016年第5期　頁86-87　2016年

2. 各地經歷

0092 周育德　湯顯祖的貶謫之旅與戲曲創作
　　　　　　　戲劇藝術　2010年第6期　頁27-40　2010年

0093 周敏生　《牡丹亭》與澳門
　　　　　　　同舟共進　1999年第12期　頁48　1999年

0094 羅兆榮　湯顯祖與澳門
　　　　　　　戲文　1999年第3期　頁70　1999年
　　　　　　　江西社會科學　2000年第3期　頁52-53　2000年

0095 鄒自振　「東方莎士比亞」湯顯祖筆下的澳門風情
　　　　　　　古典文學知識　2000年第2期　頁97-100　2000年

0096 王　敏　《牡丹亭》與澳門
　　　　　　　戲劇之家　2000年第1期　頁57-58　2000年

0097 李惠民　《牡丹亭》中的澳門故事
　　　　　　　世界知識　2001年第4期　頁44-45　2001年

0098 湯開建　湯顯祖與澳門
　　　　　　　廣西民族學院學報（哲學社會科學版）　2001年第5
　　　　　　　期　頁65-71　2001年9月

0099 李宗桂　中國文化名人與澳門——湯顯祖、吳漁山、屈大均合論
　　　　　　　（1）鵝湖　第30卷第10期　頁50-55　2003年4月

　　　　　　（2）鵝湖　第30卷第11期　頁32-37　2003年5月

0100 鄒自振　從湯顯祖詩、劇見葡佔澳門風情

　　　　　　光明日報　2003年6月25日

0101 李　強、李衫衫　明代海上絲路戲劇文化交流及湯顯祖《牡丹亭》
　　　　　　中描述澳門的研究

　　　　　　文化雜誌　第68卷　頁93-106　2008年秋

0102 周松芳　湯顯祖澳門行考述

　　　　　　嶺南文史　2016年第1期　頁1-6　2016年

0103 謝文君　平昌遺愛

　　　　　　湯顯祖首屆年會論文　浙江遂昌縣　浙江省文化廳主
　　　　　　辦　2001年8月

0104 姚品文　湯顯祖與海南島

　　　　　　海南師範學院學報　2003年第4期　頁76-80　2003年

0105 嚴永和　戲劇家湯顯祖的失蹤

　　　　　　民間傳奇故事（A卷）　2003年第3期　頁37　2003年

0106 方任飛　湯顯祖的徽州情結

　　　　　　光明日報　2003年5月28日

0107 姚文群　《牡丹亭》湯顯祖與揚州

　　　　　　郵政週報　2004年4月20日

0108 許宗斌　湯顯祖在遂昌

　　　　　　散文　1998年第11期　頁28-29　1998年11月

0109 彭兆榮　湯顯祖與遂昌

　　　　　　紀念湯顯祖誕辰450周年學術研討會論文　江西省撫
　　　　　　州市政府主辦　2000年8月23-25日

0110 王曉紅　湯顯祖與遂昌圖書館

　　　　　　湯顯祖首屆年會論文　浙江遂昌縣　浙江省文化廳主
　　　　　　辦　2001年8月

0111 洛　地　《遂昌石練十番》序

　　　　　　　湯顯祖研究通訊　2004年第1期　杭州　中國戲曲會

　　　　　　　湯顯祖研究會　2004年

0112 羅兆榮　湯顯祖遂昌棄官

　　　　　　　麗水日報　2005年12月8日　第5版

0113 周興彪　湯顯祖與遂昌金礦

　　　　　　　麗水日報　2005年12月1日　第5版

0114 周　逸　湯顯祖與遂昌

　　　　　　　文化交流　2005年第3期　頁20-21　2005年

0115 鄒自振　「留得山城遺愛在」——湯顯祖與遂昌

　　　　　　　古典文學知識　2007年第3期　頁69-78　2007年

0116 王德兵　湯顯祖遂昌詩文敍論

　　　　　　　綿陽師範學院學報　2009年第6期　頁30-33　2009年
　　　　　　　6月

0117 葉小青　名人文化旅遊品牌的建設與發展——以浙江遂昌湯顯祖文
　　　　　　　化為例

　　　　　　　麗水學院學報　2009年第6期　頁23-26轉頁41　2009
　　　　　　　年12月

0118 徐家釧　《城系列》之遂昌　綠谷幽碧　湯公尋夢

　　　　　　　浙江經濟　2009年第12期　頁60-61　2009年

0119 藍法勤　紀念館展示設計中的傳統美學——以遂昌湯顯祖紀念館
　　　　　　　為例

　　　　　　　文藝爭鳴　2010年第8期　頁137-139　2010年

0120 朱旭明　湯顯祖與遂昌獨山「三葉」

　　　　　　　當代社科視野　2010年第4期　頁40-43　2010年

0121 龔重謨　湯顯祖「情」治遂昌

　　　　　　　文化雜誌　第84卷　頁149-166　2012年秋

0122 趙山林、趙婷婷　試論湯顯祖的桃源情結

　　　　　　　四川戲劇　2014年第5期　頁10-14　2014年

0123 劉世傑　湯顯祖量移遂昌縣令時間考

　　　　　　　甘肅社會科學　2015年第3期　頁36-39　2015年

0124 龔重謨、范舟遊　湯顯祖在嶺南

　　　　　　　文化雜誌　第66卷　頁186-200　2008年春

0125 黃樹森　湯顯祖與嶺南

　　　　　　　嶺南文史　2016年第1期　頁3　2016年

0126 趙紅娟　湯顯祖與湖州考論

　　　　　　　浙江社會科學　2009年第7期　頁83-88轉頁128　2009
　　　　　　　年7月

0127 張霞客　江西的湯顯祖，世界的湯顯祖——南昌大學校長周文斌教
　　　　　　授談弘揚贛鄱文化

　　　　　　　大江周刊（焦點）　2010年第11期　頁6-9　2010年

0128 賴　晨　文人湯顯祖：做官也成功

　　　　　　　文史博覽　2016年第5期　頁36-37　2016年

0129 萬斌生　從湯顯祖在撫州正覺寺的活動看儒禪相融

　　　　　　　東華理工大學學報（社會科學版）　2016年第3期
　　　　　　　頁272-278　2016年

0130 邱苑丹　湯顯祖謫尉廣東徐聞的前後

　　　　　　　南方論刊　2014年第6期　頁101-102　2014年

0131 崔洛民　湯顯祖의　廣東　徐聞縣　貶謫에　관한　小考（關於湯
　　　　　　顯祖貶謫廣東徐聞縣的小考）

　　　　　　　동북아　문화연구　第10卷　頁129-146　2006年

0132 趙子雲　湯顯祖與南京

　　　　　　鐘山風雨　2016年第4期　頁55-57　2016年

0133 徐　陽　行蹤、交遊、情懷——試論江蘇經歷對湯顯祖思想和作品
　　　　　　的影響

　　　　　　浙江藝術職業學院學報　2016年第2期　頁18-21
　　　　　　2016年

0134 何文珺　湯顯祖與臨川

　　　　　　中國地名　2016年第6期　頁41-43　2016年

0135 劉世傑　湯顯祖《粵行五篇》考

　　　　　　學術研究　2016年第5期　頁172-176　2016年

3. 生活軼事

0136 王文泰　湯顯祖仕宦及死因考辨

　　　　　　桂林市　廣西師範大學古代文學所碩士論文　2001年

0137 羅兆榮　石練十番與湯顯祖

　　　　　　湯顯祖首屆年會論文　浙江遂昌縣　浙江省文化廳主
　　　　　　辦　2001年8月

0138 鄒元江　書香・墨韻・生命境界——談湯氏家族藏書與湯顯祖創作
　　　　　　之緣由

　　　　　　中華戲曲　2003年第2期　頁148-156

0139 朱達藝　湯顯祖斷案

　　　　　　湯顯祖研究通訊　2004年1期　杭州　中國戲曲會湯
　　　　　　顯祖研究會　2004年

0140 崔洛民　강서지역문화와탕현조의문학사상（江西地域文化與湯顯
　　　　　　祖的文化思想）중국어문학（中國語文學）

　　　　　　第52期　頁209-234　2008年

0141 侯德云　湯顯祖與茶

　　　　　　　中國茶葉　2011年第7期　頁36-37　2011年

0142 朱旭明　試論湯顯祖遂昌治縣經歷對其創作的影響

　　　　　　　麗水學院學報　2011年第4期　頁13-17　2011年8月

0143 張道升　明代偽湯顯祖字書述略

　　　　　　　辭書研究　2014年第3期　頁70-75　2014年

4. 交遊考

0144 王承丹　湯顯祖與公安派關係論略

　　　　　　　齊魯學刊　2000年第4期　頁46-51　2000年

0145 楊安邦　湯顯祖與同時代的臨川名人

　　　　　　　撫州師專學報　2000年第3期　頁67-72　2000年9月

0146 姚澄清　湯顯祖與黃太次的莫逆之交

　　　　　　　撫州師專學報　2000年第3期　頁82-85　2000年9月

0147 江巨榮　李言恭與湯顯祖

　　　　　　　文史知識　2001年第11期　頁62-69　2001年

0148 朱旭明　湯顯祖與「三袁」

　　　　　　　湯顯祖首屆年會論文　浙江遂昌縣　浙江省文化廳主
　　　　　　　辦　2001年8月

0149 徐永斌　凌濛初與湯顯祖

　　　　　　　徐州教育學院學報　2002年第3期　頁20-23　2002年
　　　　　　　9月

0150 禹在鎬　袁宏道와　湯顯祖의交遊에관하여
　　　　　　　（袁宏道與湯顯祖的交遊）

　　　　　　　中國語文學　第42卷　2003年

士的文學思想與達觀禪師關聯小考）

中國學論叢　第26卷　頁72-92　2008年

0162 晏國彬　湯顯祖與張位的交遊述略

南昌大學學報（人文社會科學版）　2008年第1期

頁104-108轉頁131　2008年1月

0163 龔重謨　湯顯祖和李贄未曾在臨川相會

東華理工大學學報（社會科學版）　2008年第2期

頁109-110轉頁118　2008年6月

0164 張秋嬋　潘之恒與湯顯祖

安徽大學學報（哲學社會科學版）　2008年第3期

頁80-83　2008年5月

0165 黃建榮　湯顯祖與楚辭的關係論析

江西社會科學　2009年第10期　頁105-107　2009年

0166 薛　梅　湯顯祖與唐順之

福建農林大學學報（哲學社會科學版）　2011年第4期

頁102-107　2011年

0167 宋黎明　湯顯祖與利瑪竇相會韶州考──重讀《端州逢西域兩生破

佛立義，偶成二首》

肇慶學院學報　2012年第3期　頁1-6　2012年5月

0168 侯榮川　湯顯祖與梅鼎祚的戲曲交游

文史知識　2012年第8期　頁59-63　2012年8月

0169 丁功誼　湯顯祖與錢謙益叢考

左東嶺主編　明代文學研究的新進展：明代文學與文

化國際學術研討會論文集　頁419-429　復旦大學中國

古代文學中心與北京首都師範大學中國文學系主辦

2014年11月

0170 高　冰　屠隆、湯顯祖遂昌會晤新證——兼與吳新苗博士商榷
　　　　　　　麗水學院學報　2015年第1期　頁7-11　2015年

0171 羅伽祿　湯顯祖與羅汝芳
　　　　　　　南昌市　江西高校出版社　384頁　2016年10月

0172 姚品文　湯顯祖與明藩王朱權後裔的交遊
　　　　　　　文化遺產　2016年第6期　頁10-17轉頁157　2016年

0173 方亞偉　湯顯祖書法藝術及其書畫交誼
　　　　　　　東華理工大學學報（社會科學版）　2016年第3期
　　　　　　　頁295-298　2016年

5. 遺跡

0174 錢明鏘　湯顯祖的「官德」及對當前提倡「以德治國」的啟迪意義
　　　　　　　湯顯祖首屆年會論文　浙江遂昌縣　浙江省文化廳主
　　　　　　　辦　2001年8月

0175 金偉明　山綿水長尋訪湯公遺夢
　　　　　　　麗水日報　2005年9月1日　第5版

0176 遂宣文　勸農節里話湯公
　　　　　　　文化交流　2010年第7期　頁48-51　2010年

0177 林晶晶　試論湯顯祖創辦貴生書院的原因及其作用
　　　　　　　文藝生活・文藝理論　2016年第1期　頁158-166
　　　　　　　2016年

6. 傳記劇本及研究

0178 陳　剛　徐渭湯顯祖論
　　　　　　　固原師專學報　2000年第5期　頁17-19　2000年9月

0179 陳寒鳴　湯顯祖與晚明社會思潮

　　　　　　天津社會科學　2000年第3期　頁106-110

　　　　　　中國古代、近代文學研究（複印報刊資料）　2000年

　　　　　　第12期　2000年12月

0180 呂賢平　隱而不退的敘述者——從敘事視角的轉換看湯顯祖戲劇的

　　　　　改編藝術

　　　　　　沈陽農業大學學報（社會科學版）　2005年第3期

　　　　　　頁371-375　2005年

0181 吳新苗　《玉茗堂批訂董西廂》為湯顯祖作考論

　　　　　　南昌大學學報（人文社會科學版）　2005年第6期

　　　　　　頁131-133　2005年11月

　　　　　　中國古代、近代文學研究（複印報刊資料）　2006年

　　　　　　第4期

0182 大木康　蔣士銓筆下的湯顯祖與江南文人——讀《臨川夢》

　　　　　　華瑋主編　湯顯祖與牡丹亭（下）　頁633-654　臺北

　　　　　　市　中央研究院中國文哲研究所　2005年12月

0183 鄒自振　論湯顯祖遂昌善政與戲劇詩文創作之關係

　　　　　　閩江學院學報　2006年第6期　頁58-62　2006年12月

0184 吳新苗　湯顯祖與屠隆交遊考——兼論《玉茗堂批訂董西廂》真偽

　　　　　問題

　　　　　　戲劇-中央戲劇學院學報　2006年第1期　頁24-29

　　　　　　2006年

0185 黃鎮梁　明代戲劇家湯顯祖墓園重建的規劃設計

　　　　　　古建園林技術　2009年第2期　頁65-67　2009年

（三）年譜

0186 于永旗、周文平　金溪新發現湯顯祖宗譜

　　　　　　　　江西日報　2004年11月1日　無版號

0187 黃芝岡　湯顯祖編年評傳

　　　　　　　　北京市　文化藝術出版社　2014年1月

（四）故里紀念活動

0188 徐　漣　江西紀念湯顯祖

　　　　　　　　中國文化報　2000　年10月24日　第1版

0189 金偉明　遂昌縣召開《湯顯祖紀念館陳列設計方案》論證會

　　　　　　　　麗水日報　2005年12月27日　第5版

0190 李法貴、林愛海、湯益鋒　央視來遂拍攝《遂昌十番・牡丹亭》

　　　　　　　　湯顯祖研究通訊　2005年第1期　杭州　中國戲曲會

　　　　　　　　湯顯祖研究會　2005年

0191 孫清霞　遂昌有個湯顯祖文化傳承學校

　　　　　　　　麗水日報　2005年8月4日　第7版

0192 宋　挺、葉名頡、鄭水松　湯顯祖文化就是最響亮的品牌

　　　　　　　　麗水日報　2005年7月26日　第1版

0193 朱達藝　康熙年代的湯顯祖紀念館——遂昌遺愛祠

　　　　　　　　湯顯祖研究通訊　2005年第1期　杭州　中國戲曲會

　　　　　　　　湯顯祖研究會　2005年

0194 雷　蕾　遂昌「湯顯祖文化」大戲方興未艾

　　　　　　　　麗水日報　2005年6月8日　第2版

二　湯氏著作

（一）全集

0206 湯顯祖　玉茗堂全集　四十六卷

　　　　　濟南市　齊魯書社　1997年

　　　　　臺南市　莊嚴文化事業公司　1997年

0207 四庫全書總目叢書編纂委員會　玉茗堂全集

　　　　　濟南市　齊魯書社　3032頁　1997年

0208 續修四庫全書編纂委員會　玉茗堂全集

　　　　　上海市　上海古籍出版社　3冊　2000年

0209 徐朔方　湯顯祖全集

　　　　　北京市　北京古籍出版社　3冊　1999年1月

0210 白化文　人間更有痴於我——《湯顯祖全集》和《中國科學核技術
　　　　　史化學卷》讀後感

　　　　　書品　1999年第2期　頁46　1999年

0211 程毅中　從事古籍整理須有敬業精神——讀《湯顯祖全集》有感

　　　　　書品　1999年第4期　頁3　1999年

0212 項兆豐　湯顯祖著述考略

　　　　　紀念湯顯祖誕辰450周年學術研討會論文　江西省撫
　　　　　州市政府主辦　2000年8月23-25日

0213 吳書蔭　《湯顯祖全集》戔校補正

　　　　　湯顯祖研究通訊　2004年第1期　杭州　中國戲曲會
　　　　　湯顯祖研究會　2004年

0214 蕭　嵐　《湯顯祖戲曲集》雙音詞語音構詞法探微

　　　　　語文學刊　2006年第1期　頁50-51　2006年

0215 蕭　嵐　《湯顯祖戲曲集》附加式雙音詞構詞法初探
　　　　　　成都教育學院學報　2006年第5期　2006年

0216 蕭　嵐　《湯顯祖戲曲集》雙音詞語音構法探微
　　　　　　綏化學院學報　2006年第3期　2006年

0217 龔重謨　湯顯祖家傳全集殘版的找尋
　　　　　　撫州日報　2007年11月2日　第3版

0218 徐朔方　湯顯祖集全編
　　　　　　上海市　上海古籍出版社　2015年12月

0219 周育德　湯學園地裡的壯勞力鄒自振——兼評其主編《湯顯祖戲曲
　　　　　　全集》評注本
　　　　　　福建藝術　2015年第3期　頁18-19　2015年

（二）詩文集

0220 Li, Wai-yee. "The Late-Ming moment," In idem, *Enchantment and Disenchantment: Love and Illusion in Chinese Literature*（媚力與解體：中國文學中的愛戀與幻想）. Princeton, N. J. Princeton University Press, 1993, pp.47-88.

0221 鄒自振　湯顯祖嶺海詩文論略
　　　　　　東華理工學院學報（社會科學版）　2005年第4期
　　　　　　頁306-310　2006年12月

0222 Li, Wai-yee. "The Late-Ming moment." In idem, *Enchantment and Disenchantment: Love and Illusion in Chinese Literature*. Princeton University Press, 1993, pp.47-88

0223 李惠儀著、蔡碧野譯　晚明時刻[1]

　　　　　　　　徐永明、陳靝沅主編　英語世界的湯顯祖研究論著選
　　　　　　　　譯　頁28-64　杭州市　浙江古籍出版社　2013年3月

0224 潘海軍　湯顯祖與曹雪芹兩大詩學範疇考釋

　　　　　　　　臨沂大學學報　2014年第2期　頁67-71　2014年

（三）戲曲合集

1. 原本

0225 湯顯祖　臨川四夢

　　　　　　　　揚州市　江蘇廣陵古籍社　1997年6月

0226 周雪華　牡丹亭：崑曲湯顯祖〈臨川四夢〉全集──納書楹曲譜版

　　　　　　　　上海市　上海教育出版社　2008年

0227 田照軍　《湯顯祖戲曲集》字序對換的雙音詞初探

　　　　　　　　北京航空航天大學學報（社會科學版）　2008年第2
　　　　　　　　期　頁60-66　2008年6月

0228 錢南揚　湯顯祖戲曲集

　　　　　　　　上海市　上海古籍出版社　2010年8月

0229 鄒自振　《湯顯祖戲曲全集》總序

　　　　　　　　福建藝術　2015年第3期　頁20-21　2015年

0230 鄒自振　湯顯祖戲曲全集

　　　　　　　　南昌市　百花洲文藝出版社　2016年3月

1　本篇討論《牡丹亭》、《南柯記》、《邯鄲記》、《長生殿》、《桃花扇》五種劇本。

2. 評注本

0231　黃竹三、馮俊傑主編　六十種曲評注

　　　　　　　長春市　吉林人民出版社　2001年

　　　　　　　1.第7冊・還魂記

　　　　　　　2.第8冊・紫釵記、邯鄲記

　　　　　　　3.第9冊・南柯記

　　　　　　　4.第18冊・紫簫記

　　　　　　　5.第25冊・還魂記（碩園刪定本）

0232　未署名　《臨川四夢》新評注本出版

　　　　　　　閩江學院學報　2011年第1期　頁105　2011年

0233　趙　芳　湯顯祖評點《花間集》所反映出的詞學觀

　　　　　　　北方文學（中旬刊）　2014年第11期　頁61-61　2014年

0234　葉　曄　湯顯祖評點《花間集》辨偽

　　　　　　　文獻　2016年第4期　頁3-12　2016年

（四）詩文與小說研究

0235　高　琦　筆力雄健　體亦多變──論湯顯祖的辭賦創作

　　　　　　　撫州師專學報　2000年第3期　頁51-56　2000年9月

0236　黃建榮　湯顯祖《古今治統弁言》真偽考

　　　　　　　撫州師專學報　2000年第3期　頁57-59轉頁102　2000
　　　　　　　年9月

0237　陳　鴻　湯顯祖觀游詩選評──兼論遊樂休閒活動與身心健康

　　　　　　　撫州師專學報　2000年第3期　頁98-100　2000年9月

0238　杜愛英　《湯顯祖詩文集》韻文的標點問題

　　　　　　　古籍整理研究學刊　2000年第1期　頁48-49　2000年

0239 張　濤　清廉驚天地，正氣泣鬼神——從明代偉大戲劇家湯顯祖的
　　　　　　詩文看其人品的廉潔
　　　　　　　　江西文藝史料　2000年

1. 概述

0240 白　辰　從湯顯祖詩文見葡占初期的澳門風情
　　　　　　　　福州師專學報　1999年第5期　頁1-3　1999年12月

0241 郭　越　湯顯祖與屈騷傳統及文學
　　　　　　　　吉林藝術學院學報　2001年第2期　頁21-25　2001年

0242 周育德　湯顯祖研究在遂昌
　　　　　　　　北京市　中國文學藝術出版社　2002年

0243 項兆豐　湯顯祖遂昌詩文全編
　　　　　　　　浙江遂昌市　遂昌新星印刷廠　2003年12月

0244 劉玉群　淺論湯顯祖早期詩文
　　　　　　　　東華理工大學學報（社會科學版）　2010年第3期
　　　　　　　　頁211-214　2010年9月

0245 李　悠　湯顯祖詩文理論研究
　　　　　　　　湘潭市　湖南科技大學中國古代文學碩士論文　2010年

0246 萬　葉　從湯顯祖詩文談江西曲藝演唱活動
　　　　　　　　影劇新作　2016年第2期　頁14-24　2016年

2. 詩

0247 魏子雲　「江花入夢山木成歌」——談湯顯祖的詩
　　　　　　　　金瓶梅散論　頁156-171　臺北市　臺灣商務印書館
　　　　　　　　1990年

0248 王永健　湯顯祖佚詞二首及其他

　　　　　　撫州師專學報　1996年第4期　頁5-10轉頁14　1996年
　　　　　　12月

0249 杜愛英　湯顯祖詩賦（贊）用韻考

　　　　　　徐州師範大學學報（哲學社會科學版）　1999年第2
　　　　　　期　頁40-43　1999年6月

0250 李印元　湯顯祖和他的過陽谷詩

　　　　　　春秋　1999年第2期　頁44-46　1999年

0251 鶴　翔　湯顯祖避雨巧對

　　　　　　對聯・民間對聯故事　2000年第5期　頁6　2000年

0252 許如蘋　湯顯祖仙釋詩研究

　　　　　　臺北縣　淡江大學中國文學系碩士論文　2000年

0253 陳　鴻　湯顯祖觀遊詩選評──兼論遊樂休閒活動與身心健康

　　　　　　撫州師專學報　2000年第3期　頁98-100　2000年

0254 關秀娟　天籟自鳴　早熟詩才──白居易、湯顯祖、李漁、吳敬梓
　　　　　　少年詩試析

　　　　　　福州師專學報　2001年第4期　頁18-22　2001年8月

0255 張　青　論湯顯祖詩歌的情感內涵

　　　　　　泰安教育學院學報岱宗學刊　2001年第2期　頁27
　　　　　　2001年

0256 張　青　論湯顯祖詩歌的主情特色

　　　　　　濟南市　山東師範大學中國古代文學碩士論文　2001年

0257 葉長海　慢說湯顯祖與浙江──讀《玉茗堂詩》禮記

　　　　　　湯顯祖首屆年會論文　浙江遂昌縣　浙江省文化廳主
　　　　　　辦　2001年8月

0258 劉宗鶴　湯顯祖遂昌詩作初探

湯顯祖首屆年會論文　浙江遂昌縣　浙江省文化廳主
辦　2001年8月

0259 李叔平　從兩首縱囚詩看湯顯祖的偉大人格
湯顯祖首屆年會論文　浙江遂昌縣　浙江省文化廳主
辦　2001年8月

0260 王忠祿　試論《牡丹亭》與古典詩詞
青海師專學報　2003年第4期　頁29-31　2003年

0261 李佳璇　湯顯祖辭賦研究
臺北市　國立政治大學中國文學研究所碩士論文
2002年

0262 馬琳萍　湯顯祖詩文的曲學文獻價值
石家莊學院學報　2005年第2期　頁53-56　2005年3月

0263 李勝利　湯顯祖詩論及其詩歌創作初探
南昌市　江西師範大學中國古代文學碩士論文　2005年

0264 趙　榮　讀湯顯祖《竹院烹茶》詩小議
戲文　2006年第6期　頁60　2006年

0265 徐應善　湯顯祖《竹院烹茶》詩小議
茶葉　2006年第4期　頁235-236　2006年

0266 趙　煒　從湯顯祖到錢謙益──一種「詩道」觀念的復歸
蘇州大學學報（哲學社會科學版）　2007年第3期
頁68-74　2007年5月
中國古代、近代文學研究（複印報刊資料）　2007年
第10期

0267 李宏聲　湯顯祖的《江宿》
小學生之友（趣味學習版）　2007年第9期　頁33

0268 盧　川　湯顯祖詩歌對南京城市的書寫──湯顯祖詩歌的文化學考察

長江大學學報（社會科學版）　2008年第3期　頁34-37　2008年6月

0269　王德兵　論湯顯祖遂昌詩文的審美價值

皖西學院學報　2008年第6期　頁84-86　2008年12月

0270　周君燕　試論湯顯祖辭賦創作

文教資料　2009年第6期　頁13-15　2009年2月

0271　朱亞鋒　湯顯祖詩歌戲曲比較研究

西安市　陝西師範大學中國古代文學碩士論文　2009年

0272　徐曉鴻　湯顯祖詩歌與基督教

（1）天風　2010年第1期　頁30-31　2010年

（2）天風　2010年第2期　頁54-55　2010年

0273　鄒自振　湯顯祖的詩歌理論與創作簡論

廈門教育學院學報　2010年第3期　頁18-23　2010年8月

0274　姚曉明　寂歷秋江漁火稀──湯顯祖《江宿》賞析

小學生之友（高版）　2010年第10期　頁17

0275　黃建榮　略述清人對湯顯祖詩文的評價

東華理工大學學報（社會科學版）　2010年第4期　頁301-305　2010年12月

0276　魏青青　論湯顯祖的詩學思想

溫州大學學報（社會科學版）　2011年第3期　頁82-86　2011年5月

0277　鄒自振　真情‧卓識‧性靈──湯顯祖的詩歌創作

古典文學知識　2011年第5期　頁73-81　2011年

0278　孫秋克　湯顯祖詩中女性考

昆明學院學報　2011年第5期　頁26-31　2011年

3. 文

0291　季國平　湯若士小品

　　　　　　　北京市　文化藝術出版社　246頁　1996年8月

0292　祝尚書　湯顯祖與《月洞吟序》

　　　　　　　文學遺產　1998年第6期　頁106　1998年

0293　盧耀華　一生與一文──評湯顯祖的《論輔臣科臣疏》

　　　　　　　秘書之友　1998年第6期　頁37-38

0294　江巨榮　湯顯祖與沈思校的文字交──湯顯祖佚文拾零

　　　　　　　文匯讀書周報　1999年4月17日

0295　江巨榮　精神的撫慰──湯顯祖佚文拾零

　　　　　　　文匯讀書周報　2000年1月15日

0296　江巨榮　湯顯祖的《青蓮閣集》序

　　　　　　　紀念湯顯祖誕辰450周年學術研討會論文　江西省撫
　　　　　　　州市政府主辦　2000年8月23-25日

0297　蔣星煜　湯顯祖〈論輔臣科臣疏〉的歷史意義與深廣影響

　　　　　　　上海師範大學學報（社會科學版）　2000年第8期
　　　　　　　頁53-60　2000年8月

0298　江巨榮　〈彭比部集序〉與彭輅其人──湯顯祖佚文拾零

　　　　　　　復旦學報（社會科學版）　2001年第2期　頁137-140
　　　　　　　2001年

0299　蔡守民　湯顯祖以情演情的戲曲表演論──〈宜黃縣戲神清源師廟
　　　　　　　記〉析探

　　　　　　　藝術百家　2001年第3期　頁24-27轉頁120　2001年

0300　劉宗彬　湯顯祖小品文簡論

　　　　　　　井岡山師範學院學報　2001年第1期　頁46-49　2001
　　　　　　　年2月

0301 魏　青　湯顯祖和八股文
　　　　　　溫州師範學院學報　2001年第1期　頁32-35　2001年
　　　　　　2月

0302 胡　宏　遂昌再次發現湯顯祖佚文
　　　　　　戲文　2002年第2期　頁61　2002年

0303 遂　文　遂昌又發現長篇湯顯祖佚文
　　　　　　戲文　2002年第4期　頁46　2002年

0304 湯顯祖　玉茗堂尺牘
　　　　　　上海市　上海遠東出版社　2002年

0305 高　琦　情理兼備　別樹一幟──論湯顯祖的小品文創作
　　　　　　撫州師專學報　2003年第2期　頁14-18　2003年6月

0306 羅兆榮　湯顯祖《鄭公神道碑》淺析
　　　　　　戲文　2003年第1期　頁35-37　2003年

0307 吳書蔭　湯顯祖佚文三篇
　　　　　　中國典籍與文化　2003年第4期　頁19-24　2003年

0308 徐國華　湯顯祖佚文《侯掌科劉公啟》考略
　　　　　　東華理工學院學報（社會科學版）　2004年第1期
　　　　　　頁12-14　2004年6月

0309 鄭志良　湯顯祖尺牘三封考釋
　　　　　　中國典籍與文化　2004年第3期　頁96-99　2004年

0310 鄭志良　湯顯祖佚文三篇考論
　　　　　　文獻　2004年第1期　頁122-131　2004年1月

0311 徐國華　湯顯祖佚文《侯掌科劉公啟》考略
　　　　　　東華理工學院學報（社科版）　2004年第4期　頁33-
　　　　　　34　2004年

0312 鄭水松　遂昌發現湯顯祖佚文
　　　　　麗水日報　2005年12月6日　第1版

0313 紀　勤　湯顯祖手書兩塊匾額考
　　　　　湯顯祖研究通訊　2005年第1期　杭州市　中國戲曲
　　　　　會湯顯祖研究會　2005年

0314 汪超宏　陳懿典與湯顯祖書六通考述
　　　　　文獻　2005年第3期　頁158-167　2005年7月

0315 羅兆榮（遂文）　遂昌新發現湯顯祖佚文〈周從中公像贊〉
　　　　　戲文　2006年第1期　頁63　2006年
　　　　　麗水日報　2006年1月10日　第5版

0316 楊秋榮　新發現的一篇湯顯祖重要佚文〈華蓋山志序〉
　　　　　北京教育學院學報　2006年第3期　頁12-13　2006年

0317 何天杰　湯顯祖佚文一篇
　　　　　華南師範大學學報（社會科學版）　2006年第5期
　　　　　頁150-152　2006年10月

0318 趙延花　從湯顯祖的尺牘看他的「經濟」思想
　　　　　北方經濟　2006年第24期　頁30-31　2006年

0319 李小菊　論湯顯祖〈宜黃縣戲神清源師廟記〉的戲曲理論史意義
　　　　　中華戲曲　2007年第1期　頁102-114　2007年

0320 鄒自振　湯顯祖與〈宜黃縣戲神清源師廟記〉
　　　　　福建藝術　2008年第2期　頁8-10　2008年

0321 周明初　《湯顯祖全集》中三篇文章辨偽
　　　　　文獻　2008年第1期　頁187-189　2008年1月

0322 葉　曄　珍稀明集中新輯九家十二通與湯顯祖尺牘的考釋
　　　　　杭州師範大學學報（社會科學版）　2008年第5期
　　　　　頁90-96　2008年

（五）評點作品

1. 詞曲

0343 周春豔　《玉茗堂評〈花間集〉》研究述評
　　　　濮陽職業技術學院學報　第28卷第1期　頁75-77轉頁
　　　　86　2015年

2. 小說

0344 Levy, Andre.　"Tang Xianzu and the Authorship of the Novel *Jin ping mei-* Under the Light of Some Data regarding the Play *Mudantin,.*" In Christina Neder, Heiner Roetz and Ines-Susanne Schilling, eds. *China in seinen biographischen Dimensions. Gedenkschrift fuer Helmut Martin* (*China and her biographical dimensions. Commemorative essays for Helmut Martin*). Wiesbaden: Harreassowitz Verlag, 2001, pp. 83-88.

0345 王世貞撰、湯顯祖評　玉茗堂摘評王弇州先生艷異編　十二卷
　　　　上海市　上海古籍出版社　2002年

0346 Roy, David T.　*"The Case for T'ang Hsien-tsu's Authorship of the Jin Ping Mei."Chinese Literature: Essays, Articles, Reviews* (CLEAR), Vol.8, No.1/2 (Jul. 1986):31-62

0347 芮效衛　湯顯祖創作《金瓶梅》考
　　　　徐永明、陳贛沅主編　英語世界的湯顯祖研究論著選
　　　　譯　頁65-99　杭州市　浙江古籍出版社　2013年3月

0348 Levy, Andre.　"Tang Xianzu and the Authorship of the Novel Jin ping mei Under the Light of Some Data regarding the Play Mudanting."In Christina Neder,Heiner Roetz and Ines-Susanne Schilling, eds.China in seinen biographischen Dimensionen.Gedenkschrift fuer Helmut Martin (China

and her biographical dimensions. Commemorative essays
for Helmut Martin). Wiesbaden: Harrassowitz Verlag,
2001, pp.83-88

0349 雷威安　湯顯祖和小說《金瓶梅》的作者身分
　　　　徐永明、陳靝沅主編　英語世界的湯顯祖研究論著選
　　　　譯　頁100-106　杭州市　浙江古籍出版社　2013年3月

（六）研究史

0350 汪超宏　徐朔方先生的湯顯祖研究
　　　　紀念湯顯祖誕辰450周年學術研討會論文　江西省撫
　　　　州市政府主辦　2000年8月23-25日
0351 苗庭芝　徐朔方教授與湯顯祖研究
　　　　上海戲劇　2003年第Z1期　頁76-79　2003年
0352 劉淑麗　《牡丹亭》接受史研究
　　　　南京市　南京大學中國古代文學博士論文　2003年
0353 高嘉文　臨川四夢戲曲接受史研究
　　　　臺北市　東吳大學中國文學系碩士論文　2008年
0354 磯部祐子　湯顯祖戲曲研究在日本
　　　　文學遺產　2016年第3期　頁29-34　2016年

三 劇作總論

（一）概述

0355 王占敏 湯顯祖是雜劇家嗎——對1995年高招一道語文題的商榷
　　　　　語文知識　1996年第8期　頁62-63　1996年

0356 陳美雪 湯顯祖的戲曲藝術
　　　　　臺北市　臺灣學生書局　288頁　1997年5月

0357 謝柏梁 湯顯祖和他的四大名劇
　　　　　（上）佳木斯大學社會科學學報　1998年第5期　頁
　　　　　10-18　1998年
　　　　　（下）佳木斯大學社會科學學報　1998年第6期　頁
　　　　　11-17　1998年

0358 易　棟 作為藝術整體的《臨川四夢》
　　　　　中國文化報　2000年6月15日　第3版

0359 葉長海 再說「湯學」
　　　　　紀念湯顯祖誕辰450周年學術研討會論文　江西省撫
　　　　　州市政府主辦　2000年8月23-25日

0360 鄒自振 湯顯祖綜論
　　　　　成都市　巴蜀書社　468頁　2001年4月

0361 王奇珍 前賢餘韻裡　再辟新境界——讀鄒自振《湯顯祖綜論》
　　　　　江西社會科學　2002年第9期　頁236　2002年

0362 胡　宏 一代宗師　百世流芳
　　　　　湯顯祖首屆年會論文　浙江遂昌縣　浙江省文化廳主
　　　　　辦　2001年8月

0363 唐雪瑩 夢與情鑄就的人生豐碑——湯顯祖《臨川四夢》新探

曲阜市　曲阜師範大學中國古代文學碩士論文　2002年

藝術百家　2004年第1期　頁64-69　2004年

0364 李恆義　論湯顯祖

廣州市　中山大學中國古代文學博士論文　1994年

0365 沈　星　《臨川四夢》及其檔案

中國檔案報　2003年7月11日

0366 符立中　輾轉幽冥，杜麗娘復活：湯顯祖與《牡丹亭》的崑曲之路

印刻文學生活誌　第2卷第4期　頁95-98　2005年12月

0367 章軍華　湯翁四夢戲的守望

撫州日報　2006年9月15日　第3版

0368 歐陽江琳　湯學芳菲園　又見一枝春──評鄒自振《湯顯祖與玉茗四夢》

閩江學院學報　2007年第6期　頁122-124　2007年12月

0369 尹　蓉　玉茗堂前朝復暮　四夢園中芳與菲──評鄒自振《湯顯祖與玉茗四夢》

廈門教育學院學報　2008年第1期　頁30-31　2007年3月

0370 鄒自振　湯顯祖與玉茗四夢

南昌市　江西高校出版社　320頁　2007年6月

0371 丁　盛　暢遊俠情佛先夢　印象《臨川四夢》

上海戲劇　2009年第2期　頁23-24轉頁49　2009年

0372 巴蔓子　湯顯祖是崑曲劇作家嗎？

中華讀書報　2008年2月27日　第7版

0373 孔　帥　湯顯祖《臨川四夢》新探

北方文學（中旬刊）　2014年第11期　頁52-53　2014年

0374 許懷林　文學巨匠誕生的歷史必然 ── 評鄒自振《湯顯祖及其《四夢》》

　　　　　　　閩江學院學報　2014年第1期　頁131-132轉頁140

　　　　　　　2014年

0375 王雨倩　《玉茗堂四夢》淺論

　　　　　　　雪蓮　2015年第12期　頁43-43　2015年

0376 葉長海　湯學芻議

　　　　　　　上海市　上海人民出版社　350頁　2015年12月

0377 鄭培凱　湯顯祖：戲夢人生與文化求索

　　　　　　　上海市　上海人民出版社　420頁　2015年12月

0378 尹恭弘　湯顯祖新論：多重文化視角下的湯顯祖

　　　　　　　北京市　社會科學出版社　217頁　2015年12月

0379 華　瑋　走近湯顯祖

　　　　　　　上海市　上海人民出版社　409頁　2015年12月

0380 鄒自振　湯顯祖與明清文學探賾

　　　　　　　南昌市　百花洲文藝出版社　363頁　2015年3月

0381 鄭培凱　湯顯祖四題

　　　　　　　戲劇藝術　2015年第6期　頁25-34　2015年

0382 葉長海　湯顯祖與臨川四夢

　　　　　　　上海市　上海古籍出版社　668頁　2016年7月

0383 趙　瑩　戲聖湯顯祖

　　　　　　　人文天下　2016年第14期　頁115-116　2016年

0384 羅　暢　探賾湯顯祖的海南夢

　　　　　　　戲劇之家　2016年第16期　頁252　2016年

0385 徐永明　中國古典文學研究的幾種視覺化途徑 ── 以湯顯祖研究為例

浙江大學學報（人文社會科學版）　2016年第0期
頁1-11　2016年4月

（二）作成時代

（三）本事探源

0393 伊維德著、王宇根譯　「睡情誰見？」──杜麗娘、玫瑰公主和溺
　　　　　　　　　愛父親的煩惱
　　　　　　　華瑋主編　湯顯祖與牡丹亭（上）　頁289-312　臺北
　　　　　　　市　中央研究院中國文哲研究所　2005年12月

0394 呂賢平　論《臨川四夢》對唐代相關小說的改編
　　　　　　　南投縣　暨南大學中國古代文學碩士論文　2004年

0395 趙山林　試論《臨川四夢》的文學淵源
　　　　　　　華瑋主編　湯顯祖與牡丹亭（上）　頁137-170　臺北
　　　　　　　市　中央研究院中國文哲研究所　2005年12月

0396 趙山林　《臨川四夢》文學淵源探討
　　　　　　　文學遺產　2006年第3期　頁92-100轉頁106　2006年

0397 呂賢平　具智骨者必有深情──《臨川四夢》對唐傳奇改編之文化
　　　　　　　考察
　　　　　　　漳州師範學院學報（哲學社會科學版）　2006年第1
　　　　　　　期　頁50-54　2006年

0398 劉泓岑　《臨川四夢》──湯顯祖的自然人性夢
　　　　　　　徐州教育學院學報　2006年第4期　頁110-114　2006
　　　　　　　年12月

0399 陳貞吟　湯顯祖愛情戲曲取材再創作之研究
　　　　　　　臺北市　花木蘭文化出版社　二冊　2012年3月

0400 韓　江　《臨川四夢》引詩研究
　　　　　　　臨汾市　山西師範大學戲劇戲曲學碩士論文　2013年

0401 楊敬民　唐代小說與明清相關題材戲曲比較研究
　　　　　　　哈爾濱市　哈爾濱師範大學中國古代文學博士論文
　　　　　　　2015年

（四）思想研究

1. 通論

0402 Hua Wei. "The Search for Great Harmony: A Study of Tang Xianzu's
　　　　　Dramatic Art.（尋找偉大的和諧：湯顯祖的戲曲藝術
　　　　　研究）" PhD diss., University of California, Berkeley,
　　　　　1991.

0403 王　煜　湯顯祖的儒釋道三向
　　　　　儒釋道與中國文豪　頁197-228　1991年

0404 Hua Wei. "Dreams in Tang Xianzu's Plays," Chinoperl Papers 16
　　　　　(1992-93):145-64.

0405 楊海文　湯顯祖戲劇人物的命運模式
　　　　　上海交通大學學報（哲學社會科學版）　1997年第1
　　　　　期　頁85-88　1997年

0406 盧相均　湯顯祖之思想及其在紫釵記與還魂記中之驗證
　　　　　臺北市　中國文化大學中國文學研究所博士論文
　　　　　1997年

0407 周育德　湯顯祖和道學
　　　　　紀念湯顯祖誕辰450周年學術研討會論文　江西省撫
　　　　　州市政府主辦　2000年8月23-25日

0408 鄒元江　狂斐之章——湯顯祖的人格精神和思想
　　　　　東方文化　2001年第3期　頁85-91　2001年

0409 吳文丁　陸王心學是《臨川四夢》的催產素
　　　　　江西社會科學　2001年第5期　頁11-14　2001年

0410 劉小玲　從《臨川四夢》看湯顯祖的困境意識及其悲劇精神

　　　　　　　陝西師範大學學報（哲學社會科學版）　2001年第1
　　　　　　　期　頁138-142　2001年5月

0411 鄒元江　簡析徐良傅對湯顯祖思想的重要影響
　　　　　　　湖南大學學報（社會科學版）　2001年第4期　頁68-
　　　　　　　72　2001年12月

0412 鄒元江　明清思想啟蒙的兩難抉擇——以湯顯祖為研究個案
　　　　　　　華中師範大學學報（人文社會科學版）　2002年第4
　　　　　　　期　頁93-99　2002年7月
　　　　　　　中國古代、近代文學研究（複印報刊資料）　2002年
　　　　　　　第12期

0413 張兆勇　從《臨川四夢》看湯顯祖晚年的心靈歷程
　　　　　　　戲曲研究　2002年第1期　頁189-200　2002年

0414 王　卓　《臨川四夢》與湯顯祖後期思想的轉變
　　　　　　　北方論叢　2004年第4期　頁35-37　2004年

0415 單　雋　淺析《臨川四夢》中的文化意蘊
　　　　　　　西安市　陝西師範大學中國古代文學碩士論文　2003年

0416 毛小曼　情、夢、幻——湯顯祖人生與戲曲研究初探
　　　　　　　鄭州市　鄭州大學中國古代文學碩士論文　2004年

0417 王璦玲　論湯顯祖劇作與劇論中之情、理、勢
　　　　　　　華瑋主編　湯顯祖與牡丹亭（上）　頁171-214　臺北
　　　　　　　市　中央研究院中國文哲研究所　2005年12月

0418 程　雲　新變與傳承：湯顯祖思想材料二則發微
　　　　　　　中國典籍與文化　2007年第4期　頁26-31

0419 黃莘瑜　網繭與飛躍之間：論湯顯祖之心態發展歷程及其創作思維
　　　　　　　（Quest for liberty: mental development and creative thinking
　　　　　　　of T'ang Hsien-tsu）
　　　　　　　臺北市　國立臺灣大學中國文學系博士論文　2008年

0420 池玉璽　《臨川四夢》「夢」成真
　　　　　中國文化報　2008年12月27日　第2版

0421 葉長海　從臨川四夢看湯顯祖的人生觀
　　　　　戲劇藝術　2010年第6期　頁41-50　2010年

0422 宋　艷　淺析明中晚期政治環境和思想文化對《臨川四夢》的影響
　　　　　安徽文學　2010年第11期　頁228-230　2010年

0423 李　偉　湯顯祖・臨川四夢・懷疑主義
　　　　　浙江藝術職業學院學報　2010年第4期　頁22-26
　　　　　2010年12月

0424 Cheng Pei-kei.　"Reality and Imagination: Li Chih and T'ang Hsien-tsu in Search of Authenticity（現實與想像：李贄與湯顯祖對真實性的追尋）." PhD diss., Yale University, 1980.

0425 Hsia, C. T.　"Time and the Human Condition in the Plays of T'ang Hsien-tsu," In William Theodore de Bary, ed. ‚Self and Society in Ming Thought. New York: Columbia University Press, 1970.

0426 夏志清　湯顯祖筆下的時間與人生
　　　　　徐永明、陳靝沅主編　英語世界的湯顯祖研究論著選譯　頁1-27　杭州市　浙江古籍出版社　2013年3月

0427 趙國棟　湯顯祖戲曲中茶的社會文化
　　　　　蘭臺世界　2012年第12期　頁53-54　2012年

0428 何文珺　湯顯祖的戲劇人生
　　　　　神州　2012年第19期　頁52-57　2012年

0429 孫愛玲　論湯顯祖的自然人格
　　　　　濟南大學學報（社會科學版）　1996年第3期　頁38-41　1996年

0430 馮　光　湯顯祖的倫理思想

南昌大學學報（社會科學版）　1996年第3期　頁54-
56　1996年9月

0431 周明初　湯顯祖：在政治與藝術之間

中州學刊　1996年第4期　頁95-100　1996年

0432 孫愛玲　論湯顯祖的道德人格

濟南大學學報（社會科學版）　1997年第4期　頁31-
33　1997年

0433 胡玉萍　夢的詩學：因情成夢，因夢成戲──湯顯祖戲劇理論的心
理學闡釋

湖北師範學院學報（哲學社會科學版）　1998年第5
期　頁7-11　1998年

0434 盧相均　試論湯顯祖的政治思想

中國文學　第29卷　頁139-151　1998年

0435 孫愛林　論湯顯祖人格的深層內涵

曲靖師專學報　1999年第4期　頁51-53　1999年

0436 楊　忠　論湯顯祖的歷史觀及其史學成就

北京大學學報（哲學社會科學版）　1999年第5期
頁95-102　1999年

0437 趙山林　湯顯祖與魏晉風度及文學

戲劇藝術　1999年第4期　頁78-84　1999年
中國古代、近代文學研究（複印報刊資料）　1999年
12期

0438 劉　云　試談湯顯祖的政治改革思想與戲曲創作──紀念偉大的戲
劇家、文學家湯顯祖誕辰450周年

江西社會科學　2000年第8期　頁104-107　2000年

0439 涂育珍　湯顯祖的史學觀與史學實踐
　　　　　撫州師專學報　2000年第3期　頁33-36轉頁102　2000
　　　　　年9月

0440 周世泉　試論湯顯祖的思想藝術資源
　　　　　撫州師專學報　2000年第3期　頁73-77　2000年9月

0441 半邊齋　《臨川四夢》人物題像
　　　　　影劇新作　2000年第3期　2000年

0442 王安葵　靈感飛動寫真情——論湯顯祖的創作心態
　　　　　劇影新作　2000年第3期　2000年

0443 朱　城　抗爭專制禮教，求索民主改良——述論湯顯祖的政治理想
　　　　　影劇新作　2000年第4期　2000年

0444 郭　越　「四夢」與明清文藝思維嬗變
　　　　　湯顯祖首屆年會論文　浙江遂昌縣　浙江省文化廳主
　　　　　辦　2001年8月

0445 馮　光　論湯顯祖思想中的民主色彩
　　　　　社會科學家　2001年第2期　頁89-92　2001年3月

0446 包秀珍　覺醒者、叛逆者、衛道者——論湯顯祖思想的複雜性
　　　　　語文學刊　2002年第1期　頁9-11　2002年

0447 鄒元江　湯顯祖以情抗「理」是宋明理學之「理」嗎？——達觀
　　　　　「接引」湯顯祖的一段公案芻議
　　　　　中州學刊　2002年第2期　頁150-154　2002年3月

0448 周曉琳　記夢‧造夢——湯顯祖創作心理解析
　　　　　成都大學學報（社科版）　2003年第3期　頁29-31
　　　　　2003年

0449 鄒元江　生命的輜重意識
　　　　　衡陽師範學院學報　2004年第2期　頁67-70　2004年

0450 高慧娟　湯顯祖思想的兩難抉擇

　　　　　　許昌學院學報　2004年第4期　頁63-65　2004年

0451 程林輝　湯顯祖的人生哲學

　　　　　　南昌大學學報（人文社會科學版）　2002年第3期
　　　　　　頁31-36　2002年7月

0452 龔重謨　試論湯顯祖戲劇中的時間

　　　　　　福州師專學報　2002年第4期　頁1-6　2002年8月

0453 季曉燕　解析湯顯祖《臨川四夢》之結局

　　　　　　東亞人文學　第7卷　頁209-229　2005年

0454 程　蕓　「道學」與湯顯祖的文體選擇

　　　　　　武漢大學學報（人文科學版）　2006年5期　頁566-
　　　　　　570　2006年9月

0455 李鴻淵　論湯顯祖「貴生說」的思想淵源及文學史意義

　　　　　　戲曲研究　2006年第2期　頁131-143　2006年

0456 王華紅　論《臨川四夢》的時局觀

　　　　　　北京市　首都師範大學中國古代文學碩士論文　2006年

0457 朱蓓蕾　從《臨川四夢》看湯顯祖的社會理想

　　　　　　上海戲劇　2009年第3期　頁39　2009年

0458 王　丹　從《臨川四夢》看湯顯祖生命理想的抗爭與幻滅

　　　　　　太原大學學報　2009年第2期　頁74-76　2009年6月

0459 張　莉　湯顯祖儒的精神歸屬與情的文藝選擇

　　　　　　華章　2009年第24期　頁45轉頁53　2009年

0460 張祥麗　湯顯祖文學思想的人性意識

　　　　　　烏魯木齊市　新疆大學文藝學碩士論文　2010年

0461 張美娟　從羅近溪「一陽之氣」觀念看湯顯祖的「氣」論思想

　　　　　　淡江人文社會學刊　第45卷　頁1-24　2011年3月

2. 宗教思想

南昌大學學報（人文社會科學版）　2004年第5期
頁151-155　2004年9月

0473 陳　燁　從儒士到名士到戲劇家──淺析湯顯祖的儒家思想
重慶科技學院學報（社會科學版）　2008年第7期
頁149-150　2008年

0474 張美娟　從羅近溪「一陽之氣」到李贄‧湯顯祖文藝思想：以中國
氣論為研究進路看古典文論
臺北市　臺灣學生書局　2011年10月

0475 任　雪　論湯顯祖儒佛思想的交替轉換
青年文學家　2014年第5期　頁31-31轉頁33　2014年

0476 龐欽月　《臨川四夢》神話意象研究
錦州市　渤海大學中國古代文學碩士論文2014年

0477 杜西鳳　湯顯祖道家、道教思想與詩歌創作研究
南昌市　南昌大學中國古代文學碩士論文　2015年

3. 美學思想

0478 盧相均　湯顯祖的戲曲觀及其意義考察
中語中文學　第24卷　頁215-239　1999年

0479 徐保衛　湯顯祖夢境心理的形成原因及其藝術影響
藝術百家　2000年第3期　頁14-26　2000年

0480 鄒元江　湯顯祖的「意識境界」芻議
武漢大學學報（人文社會科學版）　2000年第5期
頁660-664　2000年9月

0481 張　皓　從「狂狷」取向看湯顯祖美學思想及其對《紅樓夢》的影響
武漢教育學院學報　2000年第5期　頁6-11　2000年
10月

0482 鄧　為　情至論──湯顯祖美學思想的核心

武漢市　湖北大學中國古代文學碩士論文　2000年5月

0483 范干忠　擎言情之大旗，張駘蕩之幻想──湯顯祖戲曲美學思想敘論

影劇新作　2000年第4期　頁53-56轉頁62　2000年

0484 鄒元江　夢思──審美至情體驗

戲曲研究　第58期　頁172-188

0485 姚品文、龍向洋　「四夢」的詭奇色彩與湯顯祖的審美理想

湯顯祖首屆年會論文　浙江遂昌縣　浙江省文化廳主
辦　2001年8月

0486 楊劍明　論湯顯祖的美學生命觀

戲劇藝術　2001年第6期　頁50-60　2001年

0487 周曉琳　紀夢・造夢──湯顯祖創作心理解析

成都大學學報（社會科學版）　2003年第3期　頁29-
31　2003年

0488 謝雍君　湯顯祖劇作審美論

浙江藝術職業學院學報　2003年第3期　頁10-15
2003年9月

0489 楊安邦　論陸九淵湯顯祖施政實踐及其人文性格

撫州師專學報　2003年第4期　頁19-22　2003年3月

0490 姚曉菲　試論湯顯祖的「二夢」

藝術百家　2004年第2期　頁49-52　2004年

新疆師範大學學報（哲學社會科學版）　2005年第1
期　頁169-172　2005年3月

0491 劉廣春　依稀幻影總是「情」──湯顯祖劇作中夢意象發微

陝西廣播電視大學學報　2006年第3期　頁53-55　2006
年9月

4. 至情論

0503 樸鐘學 湯顯祖「唯情說」的美學內涵

　　　　　寧德師專學報（哲學社會科學版）　1998年第1期

　　　　　頁29-35　1998年

0504 朴種學 湯顯祖의　文藝思想　小考「唯情說」을　中心으로（湯

顯祖的文藝思想小考──以「唯情說」為中心）

　　　　　中國學論叢　第7卷　頁95-108　1998年

0505 鄒元江 湯顯祖的情與夢

　　　　　南京市　南京大學出版社　312頁　1998年7月

0506 劉曉光 湯顯祖言情說之我見

　　　　　北京教育學院學報　1998年第3期　頁38-39　1998年

0507 華　瑋 世間只有情難訴──試論湯顯祖的情觀與其劇作的關係

　　　　　中華戲曲　1998年第0期　頁159-177　1998年

0508 黃南珊 以情抗理　以情役律──論湯顯祖的情感美學觀

　　　　　吉林大學社會科學學報　1999年第1期　頁23-28

　　　　　1999年

0509 許艷文 論湯顯祖戲曲的言情觀──兼論明清戲曲發展

　　　　　長沙大學學報　1999年第1期　頁18-21　1999年3月

0510 程　雲 論湯顯祖「師講性，某講情」傳聞之不可信

　　　　　殷都學刊　1999年第1期　頁80-83　1999年

0511 徐國華 湯顯祖的「至情說」和「靈氣說」再評價──兼與袁宏道

的「性靈說」比較

　　　　　撫州師專學報　2000年第3期　頁93-97　2000年9月

0512 楊　柳 湯顯祖之「情」的哲學

　　　　　西安市　陝西師範大學中國古代文學碩士論文　2000年

0513 蔡莉莉 《臨川四夢》的夢幻意識與情的哲學

　　　　　北京市　首都師範大學中國古典小說碩士論文　2000年

0514 左東玲　陽明心學與湯顯祖的言情說
　　　　　　　文藝研究　2000年第3期　頁98-105　2000年
　　　　　　　中國古代、近代文學研究（複印報刊資料）　2001年
　　　　　　　第1期　2001年

0515 劉　君　湯顯祖「情觀」及相關戲曲思想
　　　　　　　問學　第3卷　頁103-119　2000年7月

0516 羅麗容　論湯顯祖「主情說」之淵源、內涵與實踐
　　　　　　　古典文學　第15卷　頁99-138　2000年9月

0517 鄒元江　對情「持轉易之觀」與晚明對新理性的渴求
　　　　　　　中國文化報　2000年6月15日

0518 韓學君　「情」與湯顯祖的生命追求
　　　　　　　湯顯祖首屆年會論文　浙江遂昌縣　浙江省文化廳主
　　　　　　　辦　2001年8月

0519 左其福　論湯顯祖的「唯情」文學觀
　　　　　　　湘潭市　湘潭大學中國古代文學碩士論文　2001年

0520 徐朔方　湯顯祖的情與夢
　　　　　　　文藝研究　2001年第1期　頁153-154　2001年

0521 程建忠　湯顯祖筆下的「情」
　　　　　　　成都大學學報（社會科學版）　2003年第3期　頁32-
　　　　　　　33　2003年

0522 左其福　湯顯祖的「唯情」文學觀
　　　　　　　衡陽師範學院學報　2003年第1期　頁68-71　2003年
　　　　　　　2月

0523 鄒元江　情至論與儒、道、禪
　　　　　　　戲曲藝術　2003年第4期　頁28-33　2003年
　　　　　　　戲劇　2004年第2期　頁5-20　2004年

0524 趙靜春　湯顯祖美學思想核心——「情」的淺析
　　　　　　滄州師範專科學校學報　2003年第1期　頁21-23
　　　　　　2003年3月

0525 上官濤　為情而戲：湯顯祖與蔣士銓
　　　　　　閩江學院學報　2003年第4期　頁20-23　2003年8月

0526 越紅東　論湯顯祖戲劇創作的情理矛盾及成因
　　　　　　江淮論壇　2003年第6期　頁140-144　2003年

0527 王忠祿　論湯顯祖戲曲創作中的「言情」說及其理論意義
　　　　　　中國古代小說戲劇研究叢刊　2003年第0期　頁240-
　　　　　　250　2003年

0528 左其福　湯顯祖「唯情」文學觀的文學史意義
　　　　　　求索　2004年第9期　頁205-207　2004年

0529 葉長海　理無情有說湯翁
　　　　　　華瑋主編　湯顯祖與牡丹亭（上）　頁105-136　臺北
　　　　　　市　中央研究院中國文哲研究所　2005年12月
　　　　　　戲劇藝術　2006年第3期　頁24-39　2006年

0530 黃萬機　陽明心學與湯顯祖「至情」說
　　　　　　貴州文史叢刊　2006年第1期　頁35-39　2006年

0531 劉軍華　論湯顯祖「情」之哲學的文藝思想
　　　　　　寧夏社會科學　2006年第4期　頁160-162　2006年

0532 孫曉東　論湯顯祖愛情觀內在建構的多層次性
　　　　　　社科縱橫　2006年第10期　頁105-107　2006年10月

0533 毛小曼　試論湯顯祖的人格理想及其內涵
　　　　　　中文字學指導　2006年第6期　頁31-34　2006年

0534 李克和　湯顯祖的唯情論藝術觀
　　　　　　佛山科學技術學院學報（社會科學版）　2007年第2
　　　　　　期　頁11-14　2007年3月

0535 沈　寧　淺談湯顯祖戲劇思想中的「情」
　　　　　　現代語文（文學研究版）　2008年第2期　頁29-31
　　　　　　2008年

0536 田興國　湯顯祖「情之至」論辨正
　　　　　　湖北民族學院學報（哲學社會科學版）　2008年第6
　　　　　　期　頁84-89轉頁98　2008年

0537 王海慧　湯顯祖「至情」思想探析
　　　　　　石家莊市　河北師範大學中國古代史碩士論文　2008年

0538 姚文艷　湯顯祖的至情論及其對後世的影響
　　　　　　文學教育（上）　2009年第3期　頁64-65　2009年

0539 賀正皖　湯顯祖戲曲藝術「至情」觀
　　　　　　文教資料　2009年第25期　頁87-88　2009年9月

0540 郭志斌　論湯顯祖的「言情說」
　　　　　　延安職業技術學院學報　2009年第6期　頁54-56
　　　　　　2009年12月

0541 魏　琦　淺析湯顯祖「至情說」對李慧娘形象塑造的影響
　　　　　　大舞臺　2010年第4期　頁77-78　2010年

0542 李瀾瀾　「馮小青戲曲」與明清「至情」思潮
　　　　　　中華戲曲　2010年第1期　頁259-273　2010年

0543 雷斌慧　黃宗羲、湯顯祖「至情」說比較
　　　　　　船山學刊　2011年第2期　頁126-128　2011年

0544 任怡姍　發乎情，止乎禮義──從《臨川四夢》看湯顯祖的至情論
　　　　　　長春工程學院學報（社會科學版）　2012年第3期
　　　　　　頁75-77　2012年

0545 陳榮冰　生死超越論視野下的湯顯祖「至情說」研究
　　　　　　南昌市　江西師範大學中國哲學碩士論文　2012年

0546 李名冠　湯顯祖：從情理之辯到真情與真色
　　　　　　　杭州市　浙江大學中國古代文學碩士論文　2012年

0547 周媛媛　湯顯祖的「至情觀」
　　　　　　　文教資料　2012年第2期　頁13-15　2012年1月

0548 儲著炎　湯顯祖「才情說」的理論內涵及其思想淵源
　　　　　　　淮北師範大學學報（哲學社會科學版）　2012年第4
　　　　　　　期　頁37-40　2012年8月

0549 易新香　解讀湯顯祖的「至情觀」
　　　　　　　牡丹江師範學院學報（哲學社會科學版）　2012年第
　　　　　　　6期　頁20-22　2012年

0550 韓　勤　論湯顯祖「唯情」論的理論與實踐意義
　　　　　　　蘇州教育學院學報　2012年第6期　頁10-12　2012年
　　　　　　　12月

0551 唐衛萍　湯顯祖「至情觀」辨析
　　　　　　　長春師範學院學報　2012年第1期　頁105-109　2012
　　　　　　　年1月

0552 周　勇　歡樂的功課：張岱的日常生活轉向及結局——從湯顯祖的
　　　　　　　人生教育難題出發
　　　　　　　教育發展研究　2014年第18期　頁1-6　2014年

0553 李將將　孟稱舜的「言情」理論與湯顯祖「至情論」的比較
　　　　　　　神州（中旬刊）　2014年第2期　頁4-4　2014年

0554 王春曉　湯顯祖的「至情說」論略
　　　　　　　北京教育學院學報（社會科學版）　2014年第6期
　　　　　　　頁32-37　2014年

0555 李　琴　湯顯祖「至情」文論觀探析
　　　　　　　大眾文藝　2014年第11期　頁54-55　2014年

（五）寫作藝術

1. 通論

0567 史鳳云　湯顯祖「意趣神色」論
　　　　　　社科縱橫　2006年第11期　頁103-104　2006年11月

0568 黃莘瑜　遂涉俳優體，將延歲月身：湯顯祖的創作巔峰及其經濟與
　　　　　　性命之學
　　　　　　明代研究　第12卷　頁93-127　2009年6月

0569 黃莘瑜　網繭與飛躍之間──論湯顯祖之心態發展歷程及其創作
　　　　　　思維
　　　　　　臺北市　國立臺灣大學中國文學研究所博士論文
　　　　　　2007年

0570 鄒元江　《臨川四夢》的文化書寫與湯顯祖文人形象的虛擬塑造
　　　　　　戲劇研究　第9卷　頁1-39　2012年1月

2. 技巧結構

0571 鄧淑華　論湯顯祖《玉茗堂四夢》之時間意識與其文本設計
　　　　　　臺北市　國立臺灣大學戲劇學研究所碩士論文　2003年

0572 呂賢平　漫談《臨川四夢》中有意味的時間形式──兼論湯顯祖戲
　　　　　　曲改變的敘事時間藝術
　　　　　　東華理工學院學報（社會科學版）　2006年第4期
　　　　　　頁310-314　2006年12月

0573 林鶴宜　從「敘事程式」的觀點談《臨川四夢》收場的辯證與創發
　　　　　　戲曲研究　2011年第2期　頁110-135　2011年

3. 夢的應用

0574 季曉燕　真夢：《臨川四夢》中的紀夢特色

　　　　　　創作評譚　1997年第6期　頁35-38　1997年

　　　　　　江西社會科學　2001年第8期　頁83-88　2001年

0575 胡玉萍　抒情的夢與敘事的夢──蘇軾、湯顯祖對「夢」的運用之
　　　　　　比較

　　　　　　廣西民族學院學報　1999年第S1期　頁206-209　1999
　　　　　　年05月

0576 薛海燕　論湯顯祖的夢幻觀

　　　　　　北京社會科學　2000年第2期　頁66-70　2000年

0577 薛海燕　摒棄現實　追尋夢幻──論晚明語境中湯顯祖對夢幻觀的
　　　　　　改造與建設

　　　　　　昆明大學學報　2000年第1期　頁38-41　2000年

0578 黃文錫　突破傳統啟先河──論《臨川四夢》的人物塑造

　　　　　　撫州師專學報　2000年第3期　頁1-6轉頁101　2000年
　　　　　　9月

0579 王建平　論湯顯祖之「夢劇」

　　　　　　武漢市　湖北大學中國古代文學碩士論文　2001年1月

0580 趙延花　論《臨川四夢》之夢

　　　　　　呼和浩特市　內蒙古大學中國古代文學碩士論文
　　　　　　2001年

0581 呂　宏　淺析唐傳奇夢幻手法在湯顯祖《四夢》中的運用

　　　　　　內蒙古師範大學學報（哲學社會科版）　2002年第S2
　　　　　　期　頁79-81　2002年12月

　　　　　　浙江師範大學學報（社會科學版）　2003年2期　頁
　　　　　　9-12

0582 趙得昌　試探湯顯祖《四夢》的夢境比較

　　　　　中國文化研究　第4卷　頁225-238　2004年

0583 魏麗芬　新世紀以來湯顯祖《二夢》研究綜述

　　　　　科教文匯（下旬刊）　2007年第11期　頁181-182

　　　　　2007年

0584 李小菊　湯公尋夢文化之旅

　　　　　中華文化畫報　2007年第3期　頁80-83　2007年

0585 焦鳳翔　湯顯祖的「夢幻劇場」及其人文關照

　　　　　甘肅高師學報　2007年第6期　頁35-37　2007年

0586 王軍利　他為什么鐘情夢境──湯顯祖的戲劇與人生

　　　　　大舞臺（雙月號）　2008年第2期　頁32-34　2008年

0587 鄭培凱　湯顯祖的戲夢人生

　　　　　上海戲劇　2009年第3期　頁35　2009年

0588 馮春莉　花看世界，夢說古今──淺談《牡丹亭》肯綮意象「牡
　　　　　丹」與「夢」

　　　　　才智　2009年第17期　頁190-191　2009年

0589 姚　華　《牡丹亭》中夢意象的美學分析

　　　　　安徽文學（下半月）　2009年第9期　頁143-144

　　　　　2009年

0590 寇　濤　湯顯祖戲曲作品中的夢幻藝術

　　　　　文學界（理論版）　2010年第5期　頁213-214　2010年

0591 張鵬飛　論湯顯祖戲曲「夢幻敘事」範式的文化情韻

　　　　　東華理工大學學報（社會科學版）　2010年第2期

　　　　　頁119-123　2010年6月

0592 薛金東　淺談夢在湯顯祖戲劇創作中的運用

　　　　　佳木斯教育學院學報　2011年第4期　頁72-73　2011年

0593 于　真　《臨川四夢》敘夢結構探析

集美大學學報（哲學社會科學版）　2015年第2期
頁91-95　2015年

0594 于　真　湯顯祖戲劇的夢境闡釋

東華理工大學學報（社會科學版）　2015年第4期
頁301-304轉頁320　2015年4月

4. 語言文字

0595 杜愛英　《臨川四夢》用韻考

古漢語研究　2001年第1期　頁40-44

0596 譚　坤　論湯顯祖戲曲創作的獨特價值

常州師範專科學校學報　2002年第5期　頁7-10　2002
年

0597 譚　坤　人天大夢寄詞章——論湯顯祖戲曲創作的寓言精神

戲曲藝術　2003年第4期　頁44-48　2003年11月
2003年

0598 鄭小雅　「文采派」之于湯顯祖辨疑

福建師範大學學報（哲學社會科學版）　2005年第4
期　頁61-64　2005年

0599 蕭　嵐　湯顯祖戲曲作品復合詞研究

焦作師範高等專科學校學報　2006年第3期　頁13-14
轉頁18　2006年

0600 洛　地　魏良輔‧湯顯祖‧姜白石——「曲唱」與「曲牌」的關係

浙江藝術職業學院學報　2003年第1期　頁23-35　2003
年3月

民俗曲藝　第140卷　頁5-31　2003年6月

0601 黃三平　論《臨川四夢》的諷世意識

　　　　　北京市　北京語言大學中國古代文學碩士論文　2005年

0602 李雪萍　湯顯祖《臨川四夢》曲牌、用韻、方言新探

　　　　　東華理工大學學報（社會科學版）　2010年第1期

　　　　　頁9-11　2010年3月

0603 黃文錫　《臨川四夢》串臺詞欣賞

　　　　　大江周刊（焦點）　2010年第11期　頁36-37　2010年

0604 黃三平　湯顯祖《臨川四夢》的諷世內容與諷世特徵

　　　　　求索　2012年第8期　頁154-155轉頁141　2012年

0605 劉建明　論張居正專權與《臨川四夢》對他的詆訕

　　　　　戲劇（中央戲劇學院學報）　2012年第3期　頁124-

　　　　　130　2012年

0606 黃三平　湯顯祖戲曲諷世意識的成因探析

　　　　　劇作家　2012年第1期　頁75-78　2012年

0607 彭英傑　湯顯祖《臨川四夢》的諷世內容與諷世特徵

　　　　　華章　2014年第28期　頁87-87　2014年

0608 劉　墨　淺談湯顯祖在《臨川四夢》中的譏托

　　　　　黑龍江史志　2015年第13期　頁223-223　2015年

0609 吳　劍　湯顯祖《臨川四夢》中的顏色詞押韻情況

　　　　　泰山學院學報　2015年第4期　頁128-130　2015年

0610 戴　健　《臨川四夢》引《詩》所見湯顯祖《詩》教觀

　　　　　北方論叢　2014年第2期　頁21-25　2014年

0611 郭慧茹　《臨川四夢》與賦體文關係研究

　　　　　太原市　山西師範大學中國古代文學碩士論文　2015年

5. 作品風格

0612 龔國光　湯顯祖與戲曲意境的開拓

江西社會科學　2003年第7期　頁45-49　2003年

0613 朱達藝　淺說錢維喬與湯顯祖的文風及機遇——竹初研究系列之
十三

戲文　1999年第1期　頁6-9　1999年

0614 Shen Jing　The Use of Literature in Chungqi Drama (Tang Xianzu, Mei

Dingzuo, Wu Bing, Li Yu, China)

Washington University, 2000, 360p.

（六）文藝理論

1. 文學論

0615 韓經太　氣機：在情與夢遊的畸人靈性背後——湯顯祖的文學思想
與理學文化的嬗變勢態

天津社會科學　1996年第3期　頁90-96　1996年

0616 龔重謨　論湯顯祖「以若有若無為美」的作劇主張——兼析湯顯祖
劇作理論特色、價值和地位

撫州師專學報　2000年第3期　頁7-15轉頁101　2000
年9月

0617 鄒自振　「四夢」與小說之關係——兼論湯顯祖的小說觀

撫州師專學報　2000年第3期　頁23-27轉頁101　2000
年9月

明清小說研究　2004年第2期　頁4-12　2004年

0618 周錫山　論湯顯祖的文學理論及其文氣說

華東理工大學學報（社會科學版）　1997年第1期　頁
20-27　1997年

0619 程　雲　《玉茗堂四夢》與晚明戲曲文學觀念
中國社會科學院博士論文　1999年

0620 崔洛民　탕현조의　생명의식　문학사상（湯顯祖的生命意識與文學
思想）
上海　復旦大學중국고전문하이론　2001年

0621 張韶砡　湯顯祖文學理論研究
臺北市　輔仁大學中文系碩士論文　2001年

0622 손규희　湯顯祖文藝思想研究
北京市　北京大學中國古代文學博士論文　2002年

0623 左其福　「唯情」的困惑——論湯顯祖文學觀的內在矛盾及成因
中國韻文學刊　2003年第1期　頁81-86　2003年

0624 鄒自振　試論湯顯祖散文理論與創作
福州大學學報（哲學社會科學版）　2004年第3期
頁62-66　2004年

0625 程　雲　《臨川四夢》與元雜劇的文體因緣
文學遺產　2006年第6期　頁80-87轉頁159-160　2006年

0626 張美娟　湯顯祖「靈性說」試探——以《文心雕龍》「性靈」觀念
為參考進路
臺灣觀光學報　第5卷　頁107-125　2008年6月

0627 朴鍾學　湯顯祖의　文學思想形成중에서　道教의　影響小考（湯
顯祖文學思想形成中道教影響小考）
中國學論叢　第30卷　頁135-156　2010年

0628 陳書錄　商賈與湯顯祖及其文學啟蒙思想
南京師大學報（社會科學版）　2012年第2期　頁123-
128　2012年3月

0629 袁　丁　湯顯祖及其「性靈」創作觀
　　　　　　飛天　2012年第14期　頁26-27　2012年
0630 洪慧敏　湯顯祖及其文藝觀之研究
　　　　　　臺北市　東吳大學中國文學系博士論文　2015年
0631 박종학　湯顯祖의　文學理論　중　"意"，"趣"에　대한　연구
　　　　　　인문학연구（人文研究）　통권97호（十四第97號）
　　　　　　頁137-161　2014年12月
0632 馮　琪　湯顯祖的詩學思想及其對前代詩歌接受研究
　　　　　　濟南市　山東大學中國古代文學碩士論文　2014年
0633 廖可斌　湯顯祖的文學史觀與文體選擇
　　　　　　文學遺產　2016年第3期　頁4-18　2016年
0634 黃建榮、蘇立、劉昌衍　「貴生說」與「大人之學」：湯顯祖教育
　　　　　　　　　　　　思想的再認識及其現代啟示
　　　　　　東華理工大學學報（社會科學版）　2016年第3期
　　　　　　頁279-284　2016年

2. 戲曲論

0635 陳永標　湯顯祖的戲曲觀與晚明心學思潮
　　　　　　復旦學報（社會科學）　1996年第5期　頁89-94
　　　　　　1996年
0636 周錫山　湯顯祖的戲曲理論
　　　　　　華東理工大學學報（社會科學版）　1997年第3期
　　　　　　頁58-60轉頁64　1997年
0637 龔國光　忽聞歌古調　偏驚物候新──湯顯祖戲劇創作理論與審美
　　　　　　意識探因
　　　　　　江西社會科學　1997年10期　頁65-69　1997年

中國古代、近代文學研究（複印報刊資料）　1998年
第5期

0638　劉　君　湯顯祖戲曲理論之研究
　　　　　　　高雄市　國立高雄師範大學國文學系碩士論文　1998年

0639　馮　曄　情與真：湯顯祖的戲劇觀
　　　　　　　周口師範高等專科學校學報　2000年第1期　頁28-30
　　　　　　　2000年1月

0640　龔重謨　湯顯祖作劇理論探勝
　　　　　　　紀念湯顯祖誕辰450周年學術研討會論文　江西省撫
　　　　　　　州市政府主辦　2000年8月23-25日

0641　顧聆森　湯顯祖的戲曲二度創作理論
　　　　　　　中國文化報　2000年3月16日

0642　方家駬　中國古代戲曲理論體系的奠基人──簡論湯顯祖的戲曲理
　　　　　　　論及實踐
　　　　　　　影劇新作　2000年第3期　2000年

0643　馮　曄　湯顯祖的戲曲觀與晚明思潮
　　　　　　　解放軍外國語學院學報　2000年第3期　頁96-98
　　　　　　　2000年5月

0644　李相喆　湯顯祖的曲論
　　　　　　　亞細亞文化研究　第5卷　頁199-216　2001年

0645　鄒自振　「因情成夢，因夢成戲」──試論湯顯祖的戲劇觀
　　　　　　　福州師專學報　2001年第4期　頁10-13　2001年8月
　　　　　　　撫州師專學報　2003年第4期　頁6-10　2003年12月

0646　譚　坤　論湯顯祖戲曲創作精神
　　　　　　　撫州師專學報　2003年第4輯　2003年

0647　許凌冬　晚明思潮下湯顯祖的戲曲觀

新鄉師範高等專科學校學報　2004年第4期　頁87-89
2004年7月

0648 李　燕　淺論湯顯祖的戲劇觀
新疆職業大學學報　2005年第1期　頁54-56　2005年
3月

0649 涂育珍　論湯顯祖的戲曲思想及其花間詞評點
戲劇文學　2006年第11期　頁23-25轉頁54　2006年

0650 徐雪凡　從碑文看湯顯祖的戲劇觀與教育觀
戲文　2007年第5期　頁53-56　2007年

0651 鄭治國　論湯顯祖戲劇理論的形成緣由
貴州文史叢刊　2008年第3期　頁95-98　2008年

0652 王萬祥　明代反理學思潮與湯顯祖的戲曲觀
齊齊哈爾師範高等專科學校學報　2009年第4期　頁
46-47　2009年

0653 陸博、王思海　「因情成夢，因夢成戲」──從《臨川四夢》看湯
顯祖的戲劇觀
赤子（上中旬）　2014年第13期　頁58　2014年

0654 儲著炎　湯顯祖「因夢成戲」戲曲觀的形成及其審美價值
南京師範大學文學院學報　2014年第1期　頁22-26
2014年

0655 姜　赫　湯顯祖的戲曲理論管見──讀葉長海教授《中國戲劇學史
稿》心得
劇作家　2014年第3期　頁74-75　2014年

0656 王慧麗　重讀湯顯祖曲論《答呂薑山》
商　2014年第52期　頁110-110　2014年

0657 儲著炎　湯顯祖「因夢成戲」戲曲觀的形成及其審美價值

（七）聲腔研究

0667 黃振林　晚明江西的戲曲面貌與湯顯祖劇作的腔調
　　　　　　　廈門教育學院學報　2005年第4期　頁16-19轉頁22
　　　　　　　2005年12月

0668 黃振林　新昆山腔的曲律規範與湯顯祖劇作的「失律」
　　　　　　　東華理工學院學報（社會科學版）　2005年第4期
　　　　　　　頁301-305　2005年12月

0669 楊　菁　試論湯翁晚期劇作的唱腔設計模式
　　　　　　　戲劇文學　2007年第4期　頁81-85　2007年

0670 程　蕓　湯顯祖戲曲與弋陽腔關係辨析
　　　　　　　戲曲研究　2007年第1期　頁126-138　2007年

0671 蘇子裕　湯詞端合唱宜黃──再論湯顯祖劇作的腔調問題
　　　　　　　中華戲曲　2012年第1期　頁239-248　2012年

（八）導演技巧

0672 黃金亮　湯顯祖導演藝術初探
　　　　　　　撫州師專學報　2000年第3期　頁28-32　2000年9月

0673 章軍華　試論湯翁晚期劇作的曲調性格
　　　　　　　華東交通大學學報　2007年第3期　頁115-118　2007
　　　　　　　年6月

（九）舞臺演出

0674 龔國光　《四夢》與中國戲曲舞臺演劇結構
　　　　　　　紀念湯顯祖誕辰450周年學術研討會論文　江西省撫
　　　　　　　州市政府主辦　2000年8月23-25日

0675 劉文輝　湯顯祖戲曲創作的場面布局藝術

　　　　　藝海　2007年第5期　頁15-18　2007年

0676 朱錦華　《臨川四夢》齊現上海灘　上海崑劇團《臨川四夢》系列
　　　　　演出

　　　　　上海戲劇　2009年第3期　頁4　2009年

0677 榮廣潤　傳承民族瑰寶　面向多元世界　談《臨川四夢》集結上演
　　　　　的文化意義

　　　　　上海戲劇　2009年第3期　頁33-34　2009年

0678 廖藤葉　明清家班演玉茗堂劇作探析

　　　　　國立臺中科技大學通識教育學報　第3期　頁157-185
　　　　　2014年

0679 廖藤葉　明清家班演玉茗堂劇作探析

　　　　　國立臺中科技大學通識教育學報　第3期　頁157-185
　　　　　2014年12月

0680 黃振林　湯顯祖《臨川四夢》在當代江西舞臺的美麗蟬蛻

　　　　　創作評譚　2016年第1期　頁27-32　2016年

0681 周宇、戴崇高　紀念戲劇大師湯顯祖逝世400周年：上海昆劇團演
　　　　　出《臨川四夢》

　　　　　中國戲劇　2016年第8期　頁47　2016年

0682 黃銳爍　湯顯祖的兩種「自在」之間──評舞臺劇《枕上無夢》

　　　　　上海戲劇　2016年第12期　頁44-46　2016年

（十）劇本改編

0683 龔國光　臨川《四夢》與中國戲曲演劇結構

　　　　　江西社會科學　2001年第1期　頁91-98　2001年

0684 遂　文　白髮青斯傳「十番」　素琴彤管奏《四夢》
　　　　　　　戲文　2001年第6期　頁68　2001年

0685 未署名　省昆新昆劇《臨川四夢・湯顯祖》新鮮出爐
　　　　　　　劇影月報　2007年第5期　頁2　2007年

0686 李敏星　論湯顯祖《二夢》的改編接受
　　　　　　　中文自學指導　2008年第6期　頁37-40　2008年

0687 孫書磊　傳統與現代的對話　解讀新編昆曲《臨川四夢・湯顯祖》
　　　　　　　中國戲劇　2008年第3期　頁20-21　2008年

0688 孔愛民　一夕四瑰寶　四夢四百年南昌大學推出新編《臨川四夢》
　　　　　　　大江周刊（生活）　2010年第7期　頁60-61　2010年

0689 謝平安　導演手札：新編《臨川四夢》的藝術定位
　　　　　　　大江周刊（焦點）　2010年第11期　頁30-33　2010年

0690 黃文錫　濃縮出精華——黃文錫談新編贛劇《臨川四夢》劇本
　　　　　　　大江周刊（焦點）　2010年第11期　頁34-35　2010年

0691 沈　放　調五音為一曲，融四腔於一劇——程烈清新編贛劇《臨川
　　　　　　　四夢》曲譜創作談
　　　　　　　大江周刊（焦點）　2010年第11期　頁38-40　2010年

0692 蘇潔彩　遇見贛劇，是一場美麗的意外——參演新編贛劇《臨川四
　　　　　　　夢》
　　　　　　　大江周刊（焦點）　2010年第11期　頁56-57　2010年

0693 田海虹　《臨川四夢》首演美侖美奐征服觀眾
　　　　　　　大江周刊（焦點）　2010年第11期　頁60　2010年

0694 佚　名　在大不同中尋找到相通——參與新編贛劇《臨川四夢》所
　　　　　　　認識到的
　　　　　　　大江周刊（焦點）　2010年第11期　頁63　2010年

0695 黃振林　婉媚昆腔向傳奇弋腔的雅俗「轉身」——石凌鶴《臨川四

（十一）讀作品札記

（十二）版本研究

（十三）評點作品研究

0702 謝旻琪　湯顯祖評點《花間集》的原因及其特色
　　　　　　　東吳中文研究集刊　第10卷　頁155-174　2003年9月

0703 羅　瑩　湯顯祖與《花間集》及其詞學思想
　　　　　　　遼寧廣播電視大學學報　2004年第4期　頁79-80
　　　　　　　2004年

0704 徐國華　作為評點文學名家的湯顯祖
　　　　　　　古典文學知識　2004年第2期　頁80-87　2004年

0705 謝枋得編、湯顯祖校釋　新刻解註和韻千家詩選　二卷
　　　　　　　波士頓　哈佛大學漢和圖書館攝製　2004年

0706 李小菊　湯顯祖：過去與現在
　　　　　　　文藝報　2007年1月18日　第5版

0707 涂育珍　試論明代湯評本的戲曲評點特色
　　　　　　　戲劇文學　2007年第10期　頁88-91　2007年

0708 翁碧慧　明代戲曲「湯評本」研究
　　　　　　　臺北市　國立臺灣大學中國文學研究所碩士論文
　　　　　　　2007年

0709 鄭志良　袁于令與柳浪館評點《臨川四夢》
　　　　　　　文獻　2007年第3期　頁51-58　2007年7月

0710 徐國華　于評點中標顯玉茗才情——湯顯祖評點文學管窺
　　　　　　　中文字學指導　2007年第6期　頁22-25　2007年

0711 黃　霖　湯顯祖《四書》評語一百五十則
　　　　　　　中國文學研究（輯刊）　2007年第1期　頁388-418
　　　　　　　2007年

0712 劉洪強　崇禎本《金瓶梅》的評改者為湯顯祖考論
　　　　　　　徐州工程學院學報（社會科學版）　2009年第1期
　　　　　　　頁75-80　2009年1月

0713 湯顯祖　湯顯祖批評《花間集》

　　　　　　福州市　福建人民出版社　2011年

0714 趙山林　試論湯顯祖的《花間集》評點

　　　　　　東南大學學報（哲學社會科學版）　2012年第1期

　　　　　　頁93-101轉頁125　2012年1月

0715 陳旭耀　明刊《西廂記》中的湯顯祖評之真偽及其他

　　　　　　井岡山大學學報（社會科學版）　2012年第1期　頁

　　　　　　93-99　2012年1月

（十四）比較研究

1. 與國內

0716 黃毓文　年齡‧欲‧情──杜麗娘與崔鶯鶯品較

　　　　　　北華大學學報（社會科學版）　1996年第4期　頁47-

　　　　　　49　1996年

0717 趙山林　湯顯祖與唐代文學

　　　　　　文史哲　1998年第3期　頁83-89　1998年

　　　　　　中國古代、近代文學研究（複印報刊資料）　1998年

　　　　　　第8期

0718 錢荷娣　兩個叛逆的靈魂──崔鶯鶯與杜麗娘人物形象比較

　　　　　　遠程教育雜志　1999年第Z1期　頁30-34　1999年

0719 楊芳芳　崔鶯鶯與杜麗娘形象比較

　　　　　　湖北廣播電視大學學報　2001年第1期　頁78-80

　　　　　　2001年3月

0720 亓　琪　夢的虛與實──《臨川四夢》與唐傳奇相關作品中夢的比較

0730 龔重謨　明代湯顯祖之研究

　　　　　　新北市　花木蘭文化出版社　2014年

0731 姚　莽　《牡丹亭》與《紅樓夢》——一次跨越體裁和時間界限的

　　　　　　比較研究所取得的認識

　　　　　　戲劇　1997年第1期　頁71-83　1997年

0732 楊健民　論湯顯祖與曹雪芹寫夢

　　　　　　福建論壇（文史哲版）　1997年第5期　頁26-31　1997年

0733 張耀杰　《竇娥冤》與《還魂記》的宗教觀念

　　　　　　民族藝術　1998年第1期　頁134-143　1998年

0734 鄒自振　湯顯祖與《紅樓夢》

　　　　　　福州大學學報（社會科學版）　2000年第3期　頁62-

　　　　　　64轉頁78　2000年7月

0735 杜紅嬌　《西廂記》《牡丹亭》抒情藝術的比較

　　　　　　青海師專學報　2003年第4期　頁20-22　2003年

0736 徐　坤　徐渭與湯顯祖戲曲創作之心學比較

　　　　　　湖北師範學院學報（哲學社會科學版）　2003年第3

　　　　　　期　頁152-156　2003年

0737 陳海敏　湯顯祖與孟稱舜對情的傾訴比較

　　　　　　中南民族大學學報（人文社會科學版）　2005年第S1

　　　　　　期　頁241-242　2005年5月

0738 劉　群　湯顯祖和屠隆罷官閑居時期的心態與戲劇創作比較

　　　　　　齊齊哈爾大學學報（哲學社會科學版）　2006年第6

　　　　　　期　頁14-17　2006年11月

0739 鄒自振　李贄的「童心說」與湯顯祖的「至情說」

　　　　　　福州大學學報（哲學社會科學版）　2009年第1期

　　　　　　頁64-69　2009年

0740 姚　莽　《牡丹亭》與《紅樓夢》——一次跨越體裁和時間界限的
　　　　　　比較研究所取得的認識
　　　　　　　　　戲劇　1997年第1期　頁71-83　1997年

0741 楊健民　論湯顯祖與曹雪芹寫夢
　　　　　　　　　福建論壇（文史哲版）　1997年第5期　頁26-31　1997年

0742 徐國華　玉茗堂與紅雪樓——湯顯祖與蔣士銓之比較
　　　　　　　　　阜陽師範學院學報　2002年第2期　頁32-34　2002年

0743 杜桂萍　從《臨川四夢》到《臨川夢》——湯顯祖與蔣士銓的精神
　　　　　　映照和戲曲追求
　　　　　　　　　文學遺產　2016年第4期　頁14-30　2016年

0744 徐國華　湯顯祖與蔣士銓
　　　　　　　　　南昌市　江西高校出版社　2016年

0745 江巨榮　詞場玉茗古今師——清代詩人對湯顯祖的回望與熱評
　　　　　　　　　四川戲劇　2014年第7期　頁12-19　2014年

0746 周引莉　試比較湯顯祖的唯情說與王安憶的為情所困
　　　　　　　　　四川戲劇　2006年第5期　頁79-81　2006年

2. 與莎士比亞

0747 薛如林　兩峰并峙雙水分流——《牡丹亭》和《羅密歐與朱麗葉》
　　　　　　比較
　　　　　　　　　外交學院學報　1996年第3期　頁79-82　1996年

0748 徐天河　麗娘與麗葉之比較
　　　　　　　　　玉林師範學院學報　1996年第2期　頁36-39　1996年

0749 凌建英　共同譜寫愛情的頌歌——《羅密歐與朱麗葉》與《牡丹
　　　　　　亭》的比較
　　　　　　　　　雁北師範學院學報　1997年第3期　頁41-42　1997年

0750 周柳燕　朱麗葉與杜麗娘悲劇形象異同論

湖南商學院學報　1998年第6期　頁56-58　1998年12月

0751 黃江玲　女性雙形象　輝耀東西方——戲劇人物杜麗娘與朱麗葉之
　　　　　　比較

貴州文史叢刊　1999年第3期　頁48-52　1999年

0752 楊兆秀　為愛而死的朱麗葉和為愛復甦的杜麗娘——中外名著為愛
　　　　　　殉情的典型人物平行比較

晉中師範高等專科學校學報　1999年第3期　頁41-42
1999年

0753 曹樹鈞　莎士比亞與湯顯祖

戲文　1999年第1期　頁4-5　1999年

0754 李枝盛　《牡丹亭》和《羅密歐與朱麗葉》之人生哲學比較研究

學術論壇　2000年第1期　頁104-108　2000年

0755 李大可　《牡丹亭》與「莎士比亞化」

中文自學指導　2000年第6期　頁19-22　2000年

0756 鄒自振　《牡丹亭》《羅密歐與朱麗葉》之比較

福州師專學報　2002年第1期　頁1-7轉頁16　2002年
2月

0757 曹樹鈞　論湯顯祖與莎士比亞的戲劇創作

四川戲劇　2001年第5期　頁13-15　2001年

0758 海錦霞　《牡丹亭》與《羅密歐與朱麗葉》之比較

河南機電高等專科學校學報　2003年第2期　頁94-95
2003年6月

0759 李壘海　兩個夢幻的愛情世界——論《仲夏夜之夢》與《牡丹亭》
　　　　　　中夢幻與現實的關係

中國比較文學　2003年第4期　頁148-154　2003年

0760 張　玲　「主情論」關照下的湯顯祖和莎士比亞比較
　　　　　　蘇州大學學報（哲學社會科學版）　2005年第5期
　　　　　　頁62-65　2005年9月

0761 李韶華　湯顯祖與莎士比亞婦女觀之比較
　　　　　　中國古代小說戲劇研究叢刊　2007年第2期　頁269-
　　　　　　280　2007年

0762 李國文　湯顯祖和莎士比亞
　　　　　　中華讀書報　2007年8月15日　第7版
　　　　　　雜文月刊（選刊版）　2008年第2期　頁36-37　2008年
　　　　　　文史參考　2012年第7期　頁108-109　2012年
　　　　　　新高考　2014年第6期　頁11-13　2014年

0763 趙婷婷　淺談莎士比亞和湯顯祖愛情戲劇創作的異同
　　　　　　科技信息（學術研究）　2008年第15期　頁464-465
　　　　　　2008年

0764 曾如剛　莎士比亞與湯顯祖的戲劇異同
　　　　　　貴州工業大學學報（社會科學版）　2008年第1期
　　　　　　頁111-112轉頁117　2008年2月

0765 趙渭絨　世遠莫見其面，覘文輒見其心——從湯顯祖與莎士比亞戲
　　　　　　劇創作看14-16世紀中歐戲劇理論
　　　　　　西南民族大學學報（人文社科版）　2009年第1期
　　　　　　頁251-254　2009年

0766 黃　楊　淺較莎士比亞與湯顯祖
　　　　　　內江師範學院學報　2009年第S2期　頁244-246　2009
　　　　　　年

0767 張曉冬　莎士比亞與湯顯祖戲劇人物形象對比
　　　　　　大眾文藝　2010年第6期　頁68-69　2010年

莎士比亞和湯顯祖戲劇文化為例

中南林業科技大學學報（社會科學版） 2013年第1
期 頁28-31轉頁38 2013年2月

0779 蘇　丹 湯顯祖與莎士比亞「夢」之比較──以《臨川四夢》與
《仲夏夜之夢》為例

劍南文學（經典教院） 2012年第8期 頁44-45
2012年

0780 安鮮紅 莎士比亞與湯顯祖愛情觀之比較──解讀莎士比亞喜劇和
湯顯祖戲曲

名作欣賞 2010年第14期 頁115-117 2010年

0781 張　玲 湯顯祖和莎士比亞的女性觀與性別意識

蘇州市 蘇州大學比較文學與世界文學博士論文
2006年

0782 陳茂慶 戲劇中的夢幻──湯顯祖與莎士比亞比較研究

武漢市 華東師範大學英語言文學博士論文 2006年

0783 朱　熙 湯顯祖與莎士比亞戲劇意象比較研究

合肥市 安徽師範大學中國古代文學碩士論文 2014年

0784 張　露 論《羅密歐與茱麗葉》與《牡丹亭》「情趣理」的衝突

重慶市 重慶師範大學中國古代文學碩士論文 2014年

0785 徐　鵬 《羅密歐與茱麗葉》與《牡丹亭》創作之比較

焦作大學學報 2015年第3期 頁33-36 2015年

0786 張　霽 繆斯殿堂的臺階是有層級的──湯顯祖與莎士比亞的不可
比性

上海藝術評論 2016年第3期 頁65-68 2016年

0787 周錫山 湯顯祖與莎士比亞，我們今天應該如何做比較？

上海藝術評論 2016年第3期 頁69-74 2016年

0788 王伯男　無場次新編話劇，茱麗葉還魂記：紀念湯顯祖與莎士比亞
　　　　　　逝世四百周年
　　　　　　　　上海戲劇　2016年第6期　頁50-67　2016年

0789 崔　穎　湯顯祖「對話」莎士比亞
　　　　　　　　文藝生活・文海藝苑　2016年第6期　頁1　2016年

0790 孫　玫　評介《1616：莎士比亞和湯顯祖的中國》
　　　　　　　　中國比較文學　2016年第4期　頁210-213　2016年

0791 孫　玫　照亮兩種不同戲劇傳統的差異與共性──論說《1616：莎
　　　　　　士比亞和湯顯祖的中國》
　　　　　　　　藝術百家　2016年第5期　頁11-14轉頁74　2016年

0792 安　葵　中國的悲劇、喜劇和悲喜劇──從湯顯祖和莎士比亞的劇
　　　　　　作談起
　　　　　　　　戲劇文學　2016年第9期　頁17-24　2016年

0793 廖　奔　比較文化：湯顯祖與莎士比亞
　　　　　　　　藝術百家　2016年第5期　頁1-4　2016年

0794 許愛珠、韓貴東　比較研究視域下湯顯祖與莎士比亞戲劇意象的異
　　　　　　　　　　同論
　　　　　　　　浙江藝術職業學院學報　2016年第3期　頁24-28
　　　　　　　　2016年

0795 徐燕琳、George Belliveau　海外戲劇教育理念方法在中國戲曲傳承
　　　　　　　　　　　　　　傳播中的應用──以湯顯祖、莎士比亞劇
　　　　　　　　　　　　　　作為研究中心
　　　　　　　　大舞臺　2016年第8期　頁54-60　2016年

0796 邵　浩　當莎士比亞遇到湯顯祖
　　　　　　　　國際人才交流　2016年第8期　頁25-27　2016年

0797 沈茂鶴　由莎士比亞想起了湯顯祖
　　　　　　　　上海房地　2016年第7期　頁64　2016年

0798 劉恩平　臨界1599：湯顯祖與莎士比亞的時空對話
　　　　　　群言　2016年第7期　頁46-49　2016年

0799 謝雍君　全本戲復原：莎士比亞與湯顯祖的對話
　　　　　　當代戲劇　2016年第3期　頁10-13

0800 鄧莉華　湯顯祖與莎士比亞戲劇人生的對比研究
　　　　　　青年文學家　2016年第6期　頁101-101　2016年

0801 邵浩當　莎士比亞遇到湯顯祖
　　　　　　國際人才交流　2016年第8期　頁25-27　2016年

3. 與其他西方作品

0802 徐順生　中西浪漫主義戲劇中的情與理——《牡丹亭》與《歐拿
　　　　　　尼》比較
　　　　　　學術研究　1998年第9期　頁96-100　1998年
　　　　　　戲曲、戲劇研究（複印報刊資料）　1999年第2期
　　　　　　1999年

0803 穆欣欣　關於《牡丹亭》和《安提戈涅》
　　　　　　戲劇文學　1998年第4期　頁47-52　1998年

0804 王立明　從湯顯祖到巴爾札克——論藝術美中的情與理
　　　　　　丹東師專學報　2000年第2期　頁39-41　2000年6月

0805 翁敏華　中日兩國的夢意識和夢幻劇——以《牡丹亭》、《井筒》為
　　　　　　視點
　　　　　　中國比較文學　2002年第4期　頁104-114　2002年

0806 安鮮紅　愛米麗與杜麗娘之比較——兼談福克納和湯顯祖思想的統
　　　　　　一性
　　　　　　黃岡師範學院學報　2003年第4期　頁45-48　2003年
　　　　　　7月

0807 陳文華　湯顯祖和歌德

　　　　　　劇影新作　2000年第3期　2000年

0808 袁　野　中西方文學女性形象塑造比較研究——以簡・愛和杜麗娘
　　　　　　為例

　　　　　　參花　2014年第12期　頁104-107　2014年

（十五）影響與評價

0809 和泉ひとみ　湯顯祖戲曲の評價とその變遷——萬曆年間後期から
　　　　　　王朝交替期に至るまで

　　　　　　關西大學中國文學會紀要　第18輯　頁41-60　1997年
　　　　　　3月

0810 鄒自振　湯顯祖戲曲對屠紳小說的影響

　　　　　　福州師專學報　1999年第4期　頁16-19　1999年10月

　　　　　　內江師範學院學報　2011年第11期　頁10-13　2011年

0811 王毓雯　蔣士銓《臨川夢》にずける湯顯祖像

　　　　　　中國文學論集　第28輯　頁68-84　1999年12月

0812 陳懷利　從《臨川四夢》看晚明戲曲的創作傾向

　　　　　　黔東南民族師專學報　2000年第2期　頁37-39　2000
　　　　　　年4月

0813 徐定寶　黃宗羲對「玉茗堂」劇作批評觀的演變

　　　　　　文學遺產　2000年第3期　頁134-137　2000年

　　　　　　中國古代、近代文學研究（複印報刊資料）　2000年
　　　　　　第9期　2000年

0814 安　葵　江西戲劇與湯顯祖

　　　　　　中國文化報　2000年11月9日　第3版

0815 程　蕓　關於湯顯祖研究的「對話批評」
　　　　　　戲曲藝術　2001年第2期　頁24-28　2001年

0816 程　蕓　湯顯祖與明清詞壇
　　　　　　武漢大學學報（人文科學版）　2001年第5期　頁621-
　　　　　　626　2001年9月

0817 徐朔方　答程蕓博士對我湯顯祖研究的批評
　　　　　　外語與外語教學　2001年第3期　頁35-36　2001年

0818 徐朔方　再答程蕓博士對我湯顯祖研究的批評
　　　　　　文藝研究　2003年第3期　頁159-160　2003年

0819 鄭　雷　從玉茗堂到詠懷堂——阮大鋮與臨川派
　　　　　　華僑大學學報（哲社版）　2002年第3期　頁91-98
　　　　　　2002年

0820 趙山林　關於湯顯祖《四夢》的評價問題
　　　　　　戲劇藝術　2003年第3期　頁60-65　2003年

0821 鄒自振　《風流院》與《臨川夢》——明清戲劇舞臺上的湯顯祖形象
　　　　　　古典文學知識　2004年第3期　頁53-58　2004年

0822 鄒自振　湯顯祖與明清婦女
　　　　　　內江師範學院學報　2004年第3期　頁75-78　2004年

0823 潘　艷　從《臨川四夢》到馮氏「三言」
　　　　　　武漢市　華中師範大學中國古代文學碩士論文　2005年

0824 程　蕓　湯顯祖與晚明戲曲的嬗變
　　　　　　北京市　中華書局　243頁　2006年8月

0825 鄧紹基　「問題意識」與新創獲——序程蕓《湯顯祖與晚明戲曲的
　　　　　　嬗變》
　　　　　　中華戲曲　2005年第2期　頁150-161　2005年

0826 孫光耀　湯顯祖的戲劇思想及其對當代戲劇創作的啟迪

　　　　　江西社會科學　2007年第9期　頁114-117　2007年

0827 何玉人　湯顯祖《四夢》及批評的歷史影響

　　　　　中華戲曲　2007年第1期　頁115-131　2007年

0828 高嘉文　論〔（清）蔣士銓撰〕《臨川夢》對〔（明）湯顯祖撰〕《臨
　　　　　川四夢》之理解、接受的關係

　　　　　人文與社會學報　第2卷2期　頁213-242　2008年6月

0829 鄒自振　走向世界的湯顯祖研究

　　　　　古典文學知識　2008年第1期　頁106-117　2008年

　　　　　廈門教育學院學報　2008年第1期　頁26-29　2008年
　　　　　3月

0830 王省民　《臨川四夢》文本傳播的不均衡現象

　　　　　四川戲劇　2009年第5期　頁84-86　2009年

　　　　　當代戲劇　2010年第2期　頁25-27　2010年

0831 鄒自振　湯翁故里的學術新葩──評東華理工大學《臨川地方戲曲
　　　　　研究叢書》

　　　　　東華理工大學學報（社會科學版）　2009年第2期
　　　　　頁109-111　2009年

0832 蔣晗玉　湯顯祖的純情女「粉絲」

　　　　　藝海　2010年第2期　頁38-40　2010年

0833 田仲一成　明末文人心目中的湯顯祖的人物形象

　　　　　戲曲研究　2010年第2期　頁31-48　2010年

0834 黃建榮　明人對湯顯祖其人的評價述略

　　　　　中國戲劇　2010年第11期　頁48-49　2010年

0835 戴松岳　寧波的湯顯祖──裘璉

　　　　　寧波通訊　2010年第8期　頁40-41　2010年

四　紫簫記

（一）概述

（二）思想研究

哈爾濱學院學報　2006年第12期　頁65-68　2006年
12月

0857 朱仰東　論湯顯祖早期的政治傾向——以《紫簫記》、《紫釵記》為例
畢節學院學報　2008年第1期　頁82-85　2008年

0858 傅　湧　從《紫簫記》到《紫釵記》看湯顯祖創作思想的變化
藝術評鑒　2016年第11期　頁157-158　2016年

（三）人物研究

0859 曲家源　《紫簫記》人物本事考
中華戲曲　1999年第1期　頁339-357　1999年

0860 車少佳　論霍小玉、李益和盧太尉的形象流變——從《霍小玉傳》
《紫簫記》《紫釵記》談起
焦作師範高等專科學校學報　2015年第1期　頁31-34
轉頁44　2015年

（四）英譯本

0861 張　玲　古典戲劇英譯中的「中國英語」——以湯顯祖的《紫簫
記》英譯為例
山東外語教學　2014年第4期　頁100-104　2014年

五　紫釵記

（一）概述

0862　朱　捷　一部不該淡忘的古典正劇——論湯顯祖《紫釵記》
　　　　　　　中華戲曲　1996年第2期　頁329-342　1996年

0863　朱　捷　論湯顯祖的《紫釵記》
　　　　　　　揚州職業大學學報　1999年第1期　頁1-5　1999年3月

0864　劉莉萍　如今好取釵頭燕　飛向溫家玉鏡臺——析《紫釵記》中的
　　　　　　　「紫釵」意象
　　　　　　　齊齊哈爾師範高等專科學校學報　2010年第4期　頁
　　　　　　　41-42　2010年

0865　周　秦　我輩鍾情似此——《紫釵記》述評
　　　　　　　閩江學院學報　2012年第6期　頁48-52　2012年11月

0866　未署名　廣東版《紫釵記》出爐
　　　　　　　中國湯顯祖文化網　http://www.txz-cul.com

0867　未署名　紫釵記研究
　　　　　　　中國湯顯祖文化網　http://www.txz-cul.com

（二）作成時代

0868　劉　天　淺論《紫釵記》的時代背景
　　　　　　　劇作家　2006年第6期　頁112　2006年

0869　최낙민　탕현조의　유협의식과　《자채기（紫釵記）》의　완성
　　　　　　　（湯顯祖的遊俠意識與《紫釵記》的完成）
　　　　　　　中國語文學　第46卷　頁213-235　2005年

0870 崔洛民　《紫釵記》成書　過程을　통해　본　湯顯祖의　俗文學觀
（從《紫釵記》的成書過程看湯顯祖的俗文學觀）
中國學　第24卷　頁125-148　2005年

（三）本事探源

0871 李永泉　談《紫釵記》對《霍小玉傳》的繼承與發展
牡丹江師範學院學報（哲學社會科學版）　2006年第
5期　頁36-37　2006年

0872 夏太娣　湯顯祖「情至」理念的發軔之作——論《紫釵記》對於
《紫簫記》的改編及對後來創作的影響
電影評介　2007年第14期　頁107-108　2007年

0873 姚筱睿　淺論傳奇《紫釵記》對小說《霍小玉傳》的繼承與創新
福建論壇（人文社會科學版）　2008年第2期　頁88-
90　2008年

0874 傅正玲　從《霍小玉傳》到《紫釵記》：試探兩種文類所演繹的
「傳奇美感」
興大中文學報　第27卷　頁111-127　2010年6月

0875 Shen, Jing.　"*Huo Xiaoyu zhuan in Zichai ji*," In idem, *Playwrights and Literary Games in Seventeenth-Century China*: *Plays by Tang Xianzu, Mei Dingzuo*, Wu Bing, Li Yu, and Kong Shangren. Lanham: Lexington Books, 2010, pp. 77-94.

0876 沈　靜　《紫釵記》對《霍小玉傳》的改寫
徐永明、陳靝沅主編　英語世界的湯顯祖研究論著選
譯　頁314-329　杭州市　浙江古籍出版社　2013年
3月

0877 司　聃　無名豪俠黃衫客──試論從《霍小玉傳》到《紫釵記》中
　　　　　　黃衫客人物形象的演變
　　　　　　　　蘭州學刊　2011年8期　頁202-204　2011年
0878 李建東　十年磨一劍──從《霍小玉傳》到《紫釵記》
　　　　　　　　美興時代（下）　2012年第1期　頁100-101　2012年

（四）思想研究

0879 李秋新　論《紫釵記》的思想價值及其意義
　　　　　　　　甘肅社會科學　1997年第3期　頁60-62　1997年
0880 曲家源　論湯顯祖的人生道路與《紫釵記》
　　　　　　　　社會科學戰線　1997年第4期　頁128-135　1997年
　　　　　　　　中國古代、近代文學研究（複印報刊資料）　1997年
　　　　　　　　第10期　1997年
0881 堯振光　淺析《紫釵記》的思想價值及其意義
　　　　　　　　邵陽學院學報（社會科學版）　2005年第4期　頁76-
　　　　　　　　78　2005年8月
0882 韓麗霞　湯顯祖《紫釵記》創作的「至情」審美
　　　　　　　　洛陽師範學院學報　2006年第4期　頁85-87　2006年
0883 阮素芳　試論《紫釵記》中湯顯祖的「至情」思想
　　　　　　　　牡丹江大學學報　2007年第4期　頁30-31轉頁48
　　　　　　　　2007年4月
0884 翁敏華　《紫釵記》的季節感與生命意識
　　　　　　　　上海戲劇　2009年第3期　頁48-51　2009年
0885 吳麗娟　從《紫釵記》看湯顯祖的至情思想
　　　　　　　　黑龍江教育學院學報　2010年第3期　頁113-114
　　　　　　　　2010年3月

0886 伍桂輝　古代還魂戲研究

　　　　　　長沙市　中南大學中國古代文學碩士論文　2012年

（五）寫作藝術

0887 朱亞鋒　開啟心窗瞰「譏托」——《紫釵記》中盧太尉形象增入之
　　　　　　意蘊及其動因初探

　　　　　　邢臺學院學報　2008年第3期　頁76-78　2008年9月

0888 程建偉　《牡丹亭》與《紫釵記》形容詞研究

　　　　　　重慶市　西南大學漢語言文字學碩士論文　2010年

0889 喬宗玉　「紫釵」夢醒

　　　　　　書城　2011年第6期　頁25-26　2011年4月

0890 譚麗娜　《紫釵記》的夢幻藝術

　　　　　　湖北函授大學學報　2015年第18期　頁184-185　2015
　　　　　　年

（六）人物研究

0891 鮑開愷　以「性格組合論」觀《紫釵記》之霍小玉

　　　　　　蘇州教育學院學報　2003年第3期　頁13-15　2003年
　　　　　　9月

0892 王曉輝　解讀湯顯祖戲劇《紫釵記》的結構和人物形象特徵

　　　　　　藝術教育　2010年第4期　頁102轉頁104　2010年

0893 李　雁　論李益形象的改變與戲劇形式之關係——以湯顯祖《紫釵
　　　　　　記》為例

　　　　　　齊魯師範學院學報　2012年第2期　頁62-65　2012年4月

（七）比較研究

（八）改編劇本

0901 孫惠柱　喜見另一個湯顯祖　昆劇《紫釵記》觀後
　　　　　　　上海戲劇　2009年第3期　頁44　2009年

0902 曹樹鈞　《紫釵記》改編的藝術特色
　　　　　　　上海戲劇　2009年3期　頁45-47　2009年

0903 朱恒夫　從唐傳奇《霍小玉傳》到「上昆」版《紫釵記》
　　　　　　　上海戲劇　2009年第3期　頁52-53　2009年

0904 吳新雷　《紫釵記》昆曲演唱史略
　　　　　　　中國古代小說戲劇研究叢刊　2010年第0期　頁19-28
　　　　　　　2010年

0905 未署名　專家點評《紫釵記》
　　　　　　　劇影月報　2010年第3期　頁12-13　2010年

0906 吳　敢　《紫簫記》、《紫釵記》散齣選萃論略
　　　　　　　昆明學院學報　2011年第1期　頁49-52　2011年

0907 臧晉叔　紫釵記傳奇　二卷三十六齣‧下
　　　　　　　北京市　學苑出版社　2004年

六　牡丹亭

（一）版本

0908 根ヶ山徹　「還魂記」版本試探
　　　　　　　日本中國學會報　第49輯　頁149-164　1997年10月

1. 明清刊本

0909 湯顯祖　牡丹亭還魂記　二卷
　　　　　　　臺北　翰珍文化事業公司　1997年

0910　湯顯祖　明萬曆初刻本牡丹亭還魂記　二卷

　　　　　　　北京市　文化藝術出版社　2012年1月

0911　陶　瑋　明萬曆初刻本牡丹亭還魂記

　　　　　　　北京市　文化藝術出版社　2012年1月

0912　高　旭　明刊本《牡丹亭》插圖比較研究

　　　　　　　蘇州市　江南大學美術學碩士論文　2014年

0913　吳書蔭　石林居士敘本《牡丹亭》

　　　　　　　紀念湯顯祖誕辰450周年學術研討會論文　江西省撫
　　　　　　　州市政府主辦　2000年8月23-25日

2. 點校本

0914　吳書蔭　牡丹亭

　　　　　　　瀋陽市　遼寧教育出版社　173頁　1997年3月

0915　孫　遜　湯顯祖與牡丹亭

　　　　　　　收入孫遜等人著《五大名劇評述》　上海市　上海古
　　　　　　　籍出版社　1997年9月

0916　湯顯祖著、鄧振宇編　牡丹亭

　　　　　　　收入鄧振宇編《中國古代四大名劇珍藏本》　北京市
　　　　　　　紫禁城出版社　1998年

0917　湯顯祖著、吳佩鴻輯　牡丹亭

　　　　　　　收入吳佩鴻輯《中國四大古典名劇》　成都市　巴蜀
　　　　　　　書社　1998年

0918　湯顯祖著、俞爲民校注　牡丹亭

　　　　　　　收入俞爲民校注《中國古代四大名劇》　南京市　江
　　　　　　　蘇古籍出版社　1998年

0919 藝文堂　牡丹亭

　　　　　　北京市　中國文史出版社　1999年

0920 李娜等注釋　牡丹亭

　　　　　　北京市　華夏出版社　2000年2月

0921 王春梅　牡丹亭

　　　　　　臺北市　三誠堂　2001年

0922 俞爲民　牡丹亭

　　　　　　合肥市　黃山書社　229頁　2001年6月

0923 湯顯祖著、彭詩琅主編　牡丹亭

　　　　　　收入彭詩琅主編《中國古典文學名著百部》　北京市

　　　　　　中國戲劇出版社　1159頁　2002年3月

0924 湯顯祖　牡丹亭

　　　　　　北京市　中國文史出版社　2002年

0925 邵清海　牡丹亭

　　　　　　臺北市　三民書局　2002年

0926 湯顯祖　牡丹亭

　　　　　　收入《中國古典四大名劇》　北京市　中國華僑出版

　　　　　　社　421頁　2002年9月

0927 탕현조　牡丹亭

　　　　　　北京市　遠方出版社　2004年

0928 翁敏華、尤華評點　牡丹亭

　　　　　　上海市　華東師範大學出版社　214頁　2006年6月

0929 葉長海　《牡丹亭》：案頭與場上

　　　　　　上海市　上海三聯書店　440頁　2008年9月

0930 邵海清　牡丹亭

　　　　　　臺北市　三民書局　2009年8月

0931 國學典藏書系叢書編委會　牡丹亭

　　　　　　　長春市　吉林出版集團　307頁　2010年12月

0932 張博鈞　牡丹亭

　　　　　　　臺北市　三民書局　2011年4月

0933 根山ケ徹編校　牡丹亭還魂記匯校

　　　　　　　濟南市　山東大學出版社　422頁　2015年4月

0934 朱元鎮　牡丹亭還魂記

　　　　　　　北京市　文物出版社　2015年10月

0935 許淵沖、許明譯　牡丹亭

　　　　　　　北京市　海豚出版社　217頁　2016年4月

3. 改編本

0936 湯顯祖、趙清閣編　牡丹亭

　　　　　　　長春市　吉林文史出版社　238頁　1997年1月

0937 湯顯祖　牡丹亭

　　　　　　　南京市　江蘇文藝出版社　1998年

0938 湯顯祖　牡丹亭還魂記　2卷附錄1卷或文1卷

　　　　　　　臺北市　映像　2000年

0939 湯顯祖著、邵海清改編　牡丹亭

　　　　　　　臺北市　三民書局　1999年

　　　　　　　香港　海嘯出版事業有限公司　2000年

0940 Chen-Shizheng, Powell Robert　*A Chinese Cracker the Making of*

　　　　　　　Peony Pavilion in Shang-hai, New York amd Paris

　　　　　　　Princeton: Films for the Humanities & Sciences, 2001

0941 大腳先生　牡丹亭

　　　　　　　臺北市　大腳出版社　2008年2月

4. 選注本

0942 陳士爭　牡丹亭：精華賞析

　　　　　　臺北市　南強國際影視　2006年

0943 趙山林　牡丹亭選評

　　　　　　上海市　上海古籍出版社　209頁　2002年12月

0944 臺北崑曲研習社演出製作、朱惠良總策畫　故宮新韻：崑劇選粹牡

　　　　　　丹亭（New Melody from The National Palace Museum）

　　　　　　臺北市　國立故宮博物院　2011年

5. 影像本

0945 湯顯祖　牡丹亭

　　　　　　北京市　威翔音像出版社　1998年

0946 譚　盾　牡丹亭=Bitter love

　　　　　　臺北市　新力哥倫比亞音樂　1999年

0947 張繼青　牡丹亭

　　　　　　南京市　南京音像　2000年

0948 湯顯祖　牡丹亭=The Peony Pavilion

　　　　　　北京市　北京普羅之聲文化傳播公司　2003年

0949 陳士爭　牡丹亭

　　　　　　臺北市　南強國際　2006年

0950 吳重翰　湯顯祖與還魂記

　　　　　　北京市　中國圖書館學會高校分會委託中獻拓方電子

　　　　　　製印公司複印　2009年

6. 曲譜

0951 郝福和　《納書楹牡丹亭全譜》成因及特點分析
　　　　　　保定市　河北大學中國古代文學碩士論文　2000年
0952 劉水云　再論《牡丹亭》的音律問題
　　　　　　戲曲研究　2007年第1期　頁63-80　2007年
0953 吳新雷　《牡丹亭》崑曲工尺譜全印本的探究
　　　　　　戲劇研究　第1卷　頁109-129　2008年1月
0954 關德權　崑曲《牡丹亭》全本（簡譜版）
　　　　　　北京市　中國戲劇出版社　2010年

7. 外文譯本

0955 Tan Dun, Sellars Peter, Birch Cyril　The Peony Pavilion
　　　　　　New York: Schirmer 1998
0956 汪榕培　牡丹亭
　　　　　　上海市　上海外語教育出版社　2000年9月
0957 張光前　The Peony Pavilion
　　　　　　北京市　外文出版社　2001年
0958 Swatek, Catherine.　"Introduction: *Peony Pavilion on* Stage and in the Study," In Cyril Birch, trans., *The Peony Pavilion/ Mudan Ting*. Second Edition. Bloomington: Indiana University Press, 2002.
0959 Birch, Cyril trans. with a new preface. *The Peony Pavilion / Mudan Ting*. Second Edition. Bloomington: Indiana University Press, 2002.
0960 白　之　《牡丹亭》英譯第二版前言

英語世界的湯顯祖研究論著選譯　頁247-251　徐永
明、陳靝沅主編　杭州市　浙江古籍出版社　2013年
3月

0961 Shi-Zheng Chen, Powell Robert, Qian Yi, Wen Yuhang

首爾市　스펙트럼디브이디　2004年

0962 湯顯祖　牡丹亭還魂記

首爾市　스펙트럼디브이디　2004年

（二）概述

0963 陳慧樺　論湯顯祖的「牡丹亭」

幼獅月刊　第41卷4期　頁40-50　1975年4月

0964 傅修延　《牡丹亭》在中國文學史上的地位

文史知識　1998年第1期　頁23-28　1998年

0965 黃竹三　評湯顯祖及其《還魂記》

收入《戲曲文物研究散論》　北京市　文化藝術出版
社　1998年

0966 徐子方　一曲以情反禮的青春頌歌

劇影日報　1998年第5期　1998年

0967 鄒自振　論湯顯祖和他的《牡丹亭》

福州師專學報　1999年第2期　頁1-5　1999年6月

0968 朱　鴻　生命激情的絢麗虹彩——湯顯祖和他的《牡丹亭》

龍巖師專學報　1999年第2期　頁64-68　1999年6月

中國語文學誌　第11卷　頁113-123　2002年

0969 毛時安　感受《牡丹亭》

上海戲劇　1999年第10期　頁10-11　1999年

0970 劉厚生　賞心樂事《牡丹亭》
　　　　　　　　中國戲劇　2000年第1期　頁12-20　2000年
　　　　　　　　戲曲、戲劇研究（複印報刊資料）　2000年第3期
　　　　　　　　2000年

0971 徐斯年　穠麗、恢弘的《牡丹亭》
　　　　　　　　中國戲劇　2000年第10期　頁34-37　2000年

0972 蔡　健　情欲相生——讀《牡丹亭》
　　　　　　　　南京農專學報　2000年第2期　2000年

0973 根ヶ山徹　明清戲曲演劇史論序說——湯顯祖「牡丹亭還魂記」
　　　　研究
　　　　　　　　東京市　創文社　頁421-464　2001年2月

0974 姜姈妹　湯顯祖《牡丹亭》研究
　　　　　　　　首爾市　延世大學中語中文學系碩士論文　2001年

0975 姜姈妹　湯顯祖《牡丹亭》中的詩與空間構造
　　　　　　　　中國語文學誌　第9卷　頁65-87　2001年

0976 Swatek, Catherine. *Peony Pavilion On stage: Four Centuries in the Career of a Chinese Drama*. Ann Arbor: Center for Chinese Studies, The University of Michigan, 2001.

0977 未署名　名家名劇之《牡丹亭》
　　　　　　　　中國湯顯祖文化網　http://www.txz-cul.com

0978 未署名　細說湯顯祖的《牡丹亭》
　　　　　　　　中國湯顯祖文化網　http://www.txz-cul.com

0979 未署名　《牡丹亭》
　　　　　　　　中國湯顯祖文化網　http://www.txz-cul.com

0980 未署名　《牡丹亭》又名《還魂記》
　　　　　　　　中國湯顯祖文化網　http://www.txz-cul.com

0981 郭　梅　《牡丹亭》結構初探

　　　　　　湯顯祖首屆年會論文　浙江遂昌縣　浙江省文化廳主
　　　　　　辦　2001年8月

0982 Swatek, Catherine.　"Boundary Crossings: Peter Sellar's Production of
　　　　　　Peony Pavilion," *Asian Theatre Journal* 19, no.1 (2002):
　　　　　　147-58.

0983 黃海澄　說《牡丹亭》「賞新樂事」

　　　　　　中國京劇　2002年第3期　頁38-39　2002年

0984 張福海　回到獨立個體的自身存在──《牡丹亭還魂記》新論

　　　　　　戲劇藝術　2002年第1期　頁71-82　2002年

0985 周永軍　永遠的《牡丹亭》

　　　　　　戲文　2002年第2期　頁61

0986 李滇敏　新版《牡丹亭》激發贛人多少夢想

　　　　　　江西日報　2003年7月7日

0987 王　寅　《牡丹亭》：啟動了中國人的文化DNA

　　　　　　南方周末　2004年11月25日

0988 王本利　「東方的莎士比亞」──湯顯祖和他的《牡丹亭》

　　　　　　青蘋果　2004年第10期　頁28-29　2004年

0989 根ヶ山徹　《牡丹亭還魂記》插圖史略

　　　　　　山口大學文學會誌　第54輯　頁53-64　2004年

0990 根ヶ山徹　《牡丹亭還魂記》校合

　　　　　　山口縣　山口大學基盤研究成果　2004-2006年

0991 吳毓鳴　夢斷女性神話──重讀《牡丹亭》

　　　　　　三明學院學報　2006年第3期　頁287-290　2006年9月

0992 雷　江　湯顯祖淚灑《牡丹亭》

　　　　　　今日中學生　2006年第28期　頁17　2006年

0993 華　瑋　《湯顯祖與牡丹亭》導言
　　　　　　　中國文哲研究通訊　第16卷第1期　頁39-47　2006年3月

0994 黃天驥　《牡丹亭》創作的幾個問題
　　　　　　　文學遺產　2007年第1期　頁99-107　2007年

0995 李祥林　《牡丹亭》：女兒故事女兒心
　　　　　　　當代戲劇　2007年第4期　頁22-24　2007年

0996 曙　光　牡丹亭
　　　　　　　小雪花（小學快樂作文）　2007年第8期　頁46-47
　　　　　　　2007年

0997 鄭元祉　明代　湯顯祖《牡丹亭》的讀法
　　　　　　　中國人文學會定期學術大會發表論文集　頁125-139
　　　　　　　2007年

0998 楊정화　湯顯祖《牡丹亭》　研究
　　　　　　　首爾市　慶熙大學教育系中國語教育專攻碩士論文
　　　　　　　2007年

0999 李思涯　重釋《牡丹亭記題詞》
　　　　　　　淡江中文學報　第18卷　頁255-276　2008年6月

1000 喬　暉、張正海　春色如許《牡丹亭》
　　　　　　　文藝報　2008年7月19日　第B4版

1001 劉慧芬　戲曲千秋/戲曲四百年第一寫情聖手湯顯祖情寄《牡丹亭》
　　　　　　　公務人員月刊　第146卷　頁68-71　2008年8月

1002 尹현주　湯顯祖《牡丹亭》研究
　　　　　　　首爾市　東國大學教育所中國語教育專攻碩士論文
　　　　　　　2008年

1003 曾永義　《牡丹亭》是「戲文」還是「傳奇」
　　　　　　　戲曲研究　2009年第3期　頁70-97　2009年

1004 劉　嘯　《牡丹亭》作者的價值判斷

　　　　　　　飛天　2009年第24期　頁46-47　2009年

1005 劉冬梅　政治表達與情欲偽裝——精神分析視野下的湯顯祖與《牡
　　　　　　丹亭》

　　　　　　　文學前沿　2009年第1期　頁202-210　2009年

1006 趙　軍　郵票裡的故事——《牡丹亭》《長生殿》和《浣紗記》

　　　　　　　國學　2010年第9期　頁32-33　2010年

1007 氏岡真士　《牡丹燈記》と《牡丹亭》

　　　　　　　人文科學論集・文化コミユニクシヨン學科編　第44
　　　　　　輯　頁135-149　2010年3月

1008 李秀萍　湯顯祖與《牡丹亭》

　　　　　　　長春市　吉林文史出版社　2010年

1009 Mackerras, Colin. "The Imperial Granary Production of *Mudan Ting*
　　　　　　(The Peony Pavilion)," *Chinoperl Papers* No.29 (2010):
　　　　　　209-216.

1010 郭　慧　淺論《牡丹亭》的浪漫主義特色

　　　　　　　文教資料　2011年第12期　頁13-15　2011年4月

1011 唐義發　《牡丹亭》：一部再現傳統美學的藝術作品

　　　　　　　文學教育（上）　2012年第1期　頁86-87　2012年

1012 吳松青　再讀《牡丹亭》

　　　　　　　新余學苑學報　2012年第1期　頁63-65　2012年2月

1013 程建忠　孫桐生與湯顯祖及其《牡丹亭》——晚清蜀中學者孫桐生
　　　　　　研究

　　　　　　　名作欣賞　2013年第14期　頁35-37　2013年

1014 趙興邦　談我所喜歡的一部戲劇作品《牡丹亭》

　　　　　　　經濟視野　2014年16期　頁469　2014年

1015 趙純嫻 「才學戲劇」牡丹亭
　　　　　　文教資料　2014年第10期　頁3-4　2014年7月
1016 黃芝岡 湯顯祖與牡丹亭
　　　　　　臺北市　國家出版社　457頁　2015年5月
1017 蔡孟珍 重讀經典牡丹亭
　　　　　　臺北市　臺灣商務印書館　448頁　2015年7月
1018 黃天驥 論《牡丹亭》的創新精神
　　　　　　文藝研究　2016年第7期　頁85-93　2016年
1019 米亞運 《牡丹亭》中的戲擬
　　　　　　鄭州航空工業管理學院學報（社會科學版）　2016年
　　　　　　第2期　頁79-84　2016年
1020 俞為民 湯顯祖與《牡丹亭》
　　　　　　金融博覽　2016年第13期　頁26-27　2016年

（三）成書過程

1021 劉宗鶴 《牡丹亭》作于遂昌證說
　　　　　　戲曲藝術　1997年第4期　頁89-93　1997年
　　　　　　中國古代近代文學研究（複印報刊資料）　1998年第
　　　　　　2期　頁174-178　1998年
1022 陳佛來 牡丹亭畔尋夢曲　悲歡情緣驚千年 —— 紀念湯顯祖誕辰
　　　　　　450周年
　　　　　　中國郵政報　2000年10月17日　第5版
1023 呂賢平 作為敘述符號存在的人和物 —— 論湯顯祖戲劇中人和物的
　　　　　　敘事作用
　　　　　　漳州師範學院學報（哲學社會科學版）　2005年第3
　　　　　　期　頁62-65　2005年

（四）本事探源

1033 徐錦玲　《牡丹亭》藍本綜論
　　　　　　　北方論叢　2004年第4期　頁38-40　2004年

1034 蘇子裕　湯顯祖〈宜黃縣戲神清源師廟記〉解讀
　　　　　　　中華戲曲　2004年第1期　頁341-354　2004年

1035 蔣星煜　「慕色」婉約秀美，「還魂」相形見絀──關於《牡丹
　　　　　亭》的反思
　　　　　　　戲曲學報　第2卷　頁3-18　2007年12月

1036 向志柱　《牡丹亭》藍本問題考辨
　　　　　　　文藝研究　2007年第3期　頁72-78轉頁175
　　　　　　　中國古代、近代文學研究（複印報刊資料）　2007年
　　　　　　　第7期　2007年

1037 伏滌修　《牡丹亭》藍本問題辨疑──兼與向志柱先生商榷
　　　　　　　文藝研究　2010年第9期　頁47-55　2010年
　　　　　　　中國古代、近代文學研究（複印報刊資料）　2011年
　　　　　　　第1期　2011年

1038 黃義樞　從新建材料《杜麗娘傳》看《牡丹亭》的藍本問題──兼
　　　　　與向志柱先生商榷
　　　　　　　明清小說研究　2010年第6期　頁207-216　2010年

1039 楊振良　《牡丹亭》的世俗選材與民俗觀照
　　　　　　　戲曲研究　2007年第1期　頁32-43　2007年

1040 宋佳東　試論《倩女離魂》與《西廂記》、《牡丹亭》的傳承關係
　　　　　　　林區大學　2007年第5期　頁23-24　2007年

1041 查德元　《牡丹亭》取材於佛教名著
　　　　　　　華夏文化　2008年第2期　頁25　2008年

1042 霍建瑜　從《風流夢》眉批看其《牡丹亭》底本及曲律問題
　　　　　　　東南大學學報（哲學社會科學版）　2009年第4期
　　　　　　　109-114轉頁118　2009年7月

1043 陳國軍　新發現傳奇小說《杜麗娘傳》考論

　　　　　　明清小說研究　2010年第3期　頁200-209　2010年

1044 孔刃非　《牡丹亭》原型解析

　　　　　　南通大學學報（社會科學版）　2010年第6期　頁65-
　　　　　　68　2010年11月

1045 康蕓英　湯顯祖《牡丹亭》處置式考察

　　　　　　黑龍江教育學院學報　2011年第12期　頁113-115
　　　　　　2012年12月

1046 王玨丹　《牡丹亭》研究近況概述

　　　　　　中國戲劇研究網　http://www.xiju.net

1047 Jxdyxcm（網名）　《牡丹亭》故事原型是宋代洪邁記載的南安故事

　　　　　　中國戲劇研究網　http://www.xiju.net

1048 張　倩　論《牡丹亭》故事情節的狂歡化

　　　　　　文學教育（上）　2014年第5期　頁42-43　2014年6月

1049 徐曉琳　《牡丹亭》對戲曲的因襲和創新

　　　　　　青年文學家　2014年第30期　頁92-93　2014年

1050 夏　偉　傳統文化視角下的《牡丹亭》題材淵源

　　　　　　大慶師範學院學報　2014年第5期　頁75-78　2014年

1051 趙旭冉　《牡丹亭》對離魂故事的繼承與更演

　　　　　　哈爾濱師範大學社會科學學報　2016年第2期　頁94-
　　　　　　96　2016年

1052 楊柳青　「離魂」故事的發展與《牡丹亭》創作的成熟

　　　　　　許昌學院學報　2016年第1期　頁65-69　2016年

1053 劉萱儀　湯顯祖《牡丹亭》與此前的離魂故事

　　　　　　吉林省教育學院學報（上旬）　2016年第2期　頁128-
　　　　　　130　2016年

（五）思想研究

1. 通論

1054　Hu, John Y. H.　"Through Hades to Humanity: A Structural Interpretation of The *Peony Pavilion*," *Tamkang Review* 10.3-4 (1980): 591-608.

1055　Ko, Dorothy.　"The Enchantment of Love in The Peony Pavilion," In idem, *Teachers of the Inner Chambers*: *Women and Culture in Seventeenth-Century China*. Stanford: Stanford University Press, 1994, pp.68-112.

1056　Waleson Heidi　Pavilion of Pornography
　　　　BBC Music Magazine, Sep. 1998.

1057　翁敏華　論《牡丹亭》的民俗文化底蘊
　　　　戲劇藝術　1999年第3期　頁85-93　1999年

1058　蔡　健　情慾相生——讀《牡丹亭》
　　　　南京農專學報　2000年第2期　頁75-76　2000年6月

1059　吉元丹　從《牡丹亭》看湯顯祖的社會理想
　　　　樂山師範高等專科學校學報　2000年第2期　頁45-48
　　　　2000年

1060　石　玲　《牡丹亭》產生的文化背景與文化意義
　　　　紀念湯顯祖誕辰450周年學術研討會論文　江西省撫
　　　　州市政府主辦　2000年8月23-25日

1061　Zeitlin, Judith t.　"My Year of Peonies," *Asian Theatre Journal* 19, no.1 (2002): 124-33.

1062　Joanna Lee　*Dreaming of Frued in the Peony Pavilion*
　　　　Financial Times London Jan. 23, 2004, 14p

1063 賴麗青　世間只有情難訴——《牡丹亭》所涵蓋的哲學意蘊
　　　　　　福建教育學院學報　2005年第1期　頁66-68　2005年

1064 Ko, Dorothy.　"The Enchantment of Love in The Peony Pavilion."In
　　　　　　idem, *Teachers of the Inner Chambers: Women and Culture
　　　　　　in Seventeenth-Century China*. Stanford: Stanford University
　　　　　　Press, 1994 pp.68-112.

1065 高彥頤著、李志生譯　閨塾師：十七世紀的中國女人和文化
　　　　　　收入高彥頤《閨塾師——明末清初江南的才女文化》
　　　　　　頁68-112　南京市　江蘇人民出版社　2005年1月

1066 盧相均　湯顯祖的思想與其文學
　　　　　　首爾市　學古房　2005年

1067 柯慶明　愛情與時代的辯證——《牡丹亭》中的憂患意識
　　　　　　華瑋主編　湯顯祖與牡丹亭（上）　頁215-258　臺北
　　　　　　市　中央研究院中國文哲研究所　2005年12月

1068 楊小燕　從《牡丹亭》看湯顯祖的哲學思想
　　　　　　山西高等學校社會科學學報　2006年第8期　頁94-96
　　　　　　2006年8月

1069 劉素娥　新舊《牡丹亭》與中國古典文化
　　　　　　大舞臺　2007年第11期　頁32　2007年

1070 張春蕊　探究《牡丹亭》中蘊含的感性資源——兼論佛洛伊德的精
　　　　　　神分析理論
　　　　　　安徽文學（下半月）　2007年第3期　頁53-54　2007年

1071 阿進錄　《牡丹亭》的文化結構主義分析
　　　　　　青海民族學院學報　2007年第4期　頁120-123　2007
　　　　　　年9月

1072　魏遠征　論《牡丹亭》性心理及其生命意識的升華──以藹理士性
　　　　　　心理學理論來觀照杜柳愛情
　　　　　　　　戲曲研究　2007年第3期　頁200-212　2007年

1073　王　東　《牡丹亭》中湯顯祖的政治潛意識解讀
　　　　　　　　電影評介　2007年第10期　頁109轉頁106　2007年

1074　王遠秋　淺談《牡丹亭》的二合思維特徵
　　　　　　　　懷化學院學報　2008年第5期　頁44-45　2008年5月

1075　楊　晶　從「圓」看文化精神──《牡丹亭》的文學人類學解讀
　　　　　　　　漢字文化　2008年第6期　頁54-58　2008年

1076　沈娜娜　現實照進夢想──從《牡丹亭》的結尾看湯顯祖思想的現
　　　　　　　實意義
　　　　　　　　安徽文學（下半月）　2008年第4期　頁167　2008年

1077　吳建國　《牡丹亭》透出的社會文化信息
　　　　　　　　中華活頁文選（教師版）　2009年第9期　頁12-14
　　　　　　　　2009年

1078　王　寧　夢幻：人類理想的戲劇表現形式《牡丹亭》的心理分析
　　　　　　　　西安市　陝西師範大學英語語言文學碩士論文　2010年

1079　王靖宇　從敘事角度看《牡丹亭》的後半部──兼論全劇之總體思
　　　　　　　想內涵
　　　　　　　　戲曲研究　2011年第2期　頁97-109　2011年

1080　齊海燕　輾轉於三教之間──由《牡丹亭》看湯顯祖的文學傾向
　　　　　　　　安徽文學（下半月）　2012年第8期　頁73-75　2012年

1081　顏　歡　從女性主義解讀湯顯祖和莎士比亞作品的人文思想──以
　　　　　　　《牡丹亭》和《威尼斯商人》為例
　　　　　　　　藝術百家　2012年第7期　頁305-307　2012年

1082 羅麗容　從《勸善記》到《牡丹亭》——晚明思潮與戲曲出口
　　　　　　　東華理工大學學報（社會科學版）　2016年第3期
　　　　　　　頁210-224　2016年

2. 主題思想

1083 孫書磊　人欲的讚歌——對《牡丹亭》主題的再認識
　　　　　　　江西教育學院學報　1996年第1期　頁19-22轉頁31
　　　　　　　1996年

1084 張素靜　論「亙古戀曲——《牡丹亭》」的主題思想
　　　　　　　木柵高工學報　第6卷　頁387-401　2002年4月

1085 賴曉東　豈止言情　亦在訴志——《牡丹亭》創作主旨新探
　　　　　　　福建師範大學學報　2002年第4期　2002年

1086 陳　剛　《牡丹亭》的多重意蘊
　　　　　　　固原師專學報　2003年第5期　頁15-20　2003年9月

1087 葛麗英　《牡丹亭》「幾令《西廂》減價」主題因素管窺
　　　　　　　內蒙古大學藝術學院學報　2004年第2期　頁82-85
　　　　　　　2004年

1088 伏　濤　從湯顯祖的科舉經歷看《牡丹亭》副主題
　　　　　　　遼寧教育行政學院學報　2004年第9期　頁111-112
　　　　　　　2004年

1089 鄭培凱　誰的主題意識？湯顯祖？還是杜麗娘？
　　　　　　　明清文學與思想中之主體意識與社會·文學篇　頁
　　　　　　　213-252　2004年

1090 陳　剛　論《牡丹亭》的多重意蘊
　　　　　　　光明日報　2006年2月24日　第7版

1091 范少琳　《牡丹亭》與魏晉風度

　　　　　　社科縱橫　2007年第12期　頁87-88　2007年12月

1092 云　燕　《長生殿》與《牡丹亭》主題思想和劇情結構比較

　　　　　　西安社會科學　2009年第2期　頁59-61　2009年6月

1093 謝雍君　《牡丹亭》的象徵思維及其戲曲史意義

　　　　　　戲曲研究　2009年第3期　頁98-114　2009年

1094 陳勁松　再生印仰與西王母神話——杜麗娘、柳夢梅愛情的神話原

　　　　　　型及《牡丹亭》主題再探

　　　　　　江西社會科學　2010年第12期　頁118-121　2010年

1095 顧春勇　《牡丹亭》的「主腦」

　　　　　　宜賓學院學報　2012年第2期　頁49-52　2012年2月

1096 彭綠原　「可知我常一生兒愛好是天然」——小議《牡丹亭》的主題

　　　　　　長春工程學院學報（社會科學版）　2012年第2期

　　　　　　頁49-51　2012年

1097 王亦涵　論《牡丹亭》的知己之嘆

　　　　　　大眾文藝　2012年第7期　頁174-175　2012年

1098 伏　濤　從《牡丹亭》看湯顯祖的科舉情仇

　　　　　　戲劇文學　2014年第11期　頁104-109　2014年

1099 龍懷菊　從《牡丹亭》論湯顯祖的平民文學觀

　　　　　　貴州文史叢刊　2014年第1期　頁61-65　2014年

1100 劉建明　論湯顯祖《牡丹亭》對晚明政權的銷蝕

　　　　　　延安大學學報（社會科學版）　2016年第3期　頁72-

　　　　　　77　2016年

3. 引用經典

1101 陳國學　論《牡丹亭》、《紅樓夢》之孝親意識與中國古代孝文化
　　　　　　　　孝感學院學報　2006年第2期　頁11-14　2006年

1102 劉冬穎　杜麗娘習《詩》的反理學意義
　　　　　　　　文藝研究　2006年第11期　頁72-77　2006年
　　　　　　　　文史知識　2007年第4期　頁144　2007年

1103 謝雍君　「為詩章，講動情腸」──杜麗娘的經典閱讀與情感發生
　　　　　　關係之解析
　　　　　　　　戲劇文學　2008年第6期　頁60-64　2008年

1104 李春芳　從《牡丹亭》對《詩經》的接受看湯顯祖的情教觀
　　　　　　　　長城　2011年第6期　頁105-107　2011年

1105 李景瑜、廖藤葉　《牡丹亭》對《詩經》的應用研究
　　　　　　　　通識教育學報　第1卷　頁29-45　2012年12月

1106 龔新婷　《詩經‧關雎》賞析──從《牡丹亭》的「誤讀」說起
　　　　　　　　學語文　2012年第3期　頁55　2012年

1107 李思涯　《牡丹亭》中《關雎》的意義
　　　　　　　　文學評論　2015年第3期　頁198-207　2015年

1108 蕭　靜　為詩章講動情腸──試論湯顯祖在《牡丹亭》中對《詩
　　　　　　經》的文學闡釋
　　　　　　　　大眾文藝　2016年第23期　頁21-22　2016年

1109 牛丹丹　試論《關雎》在《牡丹亭》中的意義
　　　　　　　　西安石油大學學報（社會科學版）　2016年第1期
　　　　　　　　頁98-103轉頁108　2016年

4. 儒家思想

1110　韓娟娟　從《牡丹亭》看兩個「湯顯祖」——儒士到名士的心理畸變
　　　　　　　湖北師範學院學報（哲學社會科學版）　2006年第6
　　　　　　　期　頁49-51轉頁100　2006年

1111　張美娟　從湯顯祖理學思想論《牡丹亭》意涵
　　　　　　　通識教育與跨域研究　第2卷2期　頁77-102　2008年6月

1112　鍾　榮　從《牡丹亭》看儒家思想——以明理近「情」為中心
　　　　　　　人文學研究　第88卷　頁131-156　2012年

1113　邵魯琳　《牡丹亭》人文主義精神的表現
　　　　　　　北方文學（下半月）　2012年10期　頁46-47　2012年
　　　　　　　10月

1114　龔國光　《牡丹亭》的人文精神與現代詮釋
　　　　　　　創作評譚　2016年第2期　頁27-36　2016年

5. 美學思想

1115　葉樹發　《牡丹亭》主題與明中葉美學嬗變
　　　　　　　江西社會科學　1998年第8期　頁46-50　1998年

1116　韓　鑫　《牡丹亭》的悲劇意識——兼論湯顯祖的戲曲美學思想
　　　　　　　藝術百家　1998年第3期　頁30-34　1998年

1117　黨月異　《牡丹亭》審美價值的多元化
　　　　　　　齊魯學刊　2003年第2期　頁107-109　2003年

1118　盧卓元　穿越生死的深情和妙賞——淺談《牡丹亭》的美學體
　　　　　　　西安歐亞學院學報　2009年第4期　頁76-78　2009年
　　　　　　　10月

1119　劉　暢　意境美與文化美——論《牡丹亭》背後的審美意蘊

北方文學（中旬刊）　2014年第9期　頁59-59　2014年1月

1120 吳海生　對中國戲曲的審美特性分析——以戲曲《牡丹亭》為例
　　　　　　紅河學院學報　2014年第4期　頁66-70　2014年8月

1121 何玉瓊　淺析湯顯祖戲劇創作的可貴之處——以《牡丹亭》為例
　　　　　　環球人文地理　2014年第16期　頁175-176　2014年

1122 胡　夢　湯顯祖《牡丹亭》之「為情作使，以情反理」的戲曲觀淺探
　　　　　　戲劇之家　2016年第15期　頁43　2016年

6. 至情論

1123 鄭蘇淮　因情成夢超死生——杜麗娘「情」「理」對立人生觀的啟示
　　　　　　南昌高專學報　1997年第3期　頁22-25　1997年9月

1124 呂蓓蓓　《牡丹亭》中的生死情愫
　　　　　　臺北技術學院學報　第30卷2期　頁267-277　1997年9月

1125 尚永亮　《牡丹亭》中「情」的變化與表現手法的差異
　　　　　　淮陰師範學院學報（哲學社會科學版）　1998年第2
　　　　　　期　頁96-100　1998年

1126 高銀河　湯顯祖《牡丹亭》之愛情觀研究
　　　　　　首爾市　淑明女子大學教育系中國語教育專攻碩士論
　　　　　　文　2003年

1127 張　兵　《牡丹亭》愛情觀的矛盾和局限
　　　　　　淮海工學院學報（人文社會科學版）　2004年第1期
　　　　　　頁17-20　2004年3月

1128 徐保衛　綺夢：自然和高尚——論湯顯祖戲劇中的性描寫
　　　　　　南京理工大學學報（社會科學版）　2004年第2期
　　　　　　頁22-27　2004年4月

1129　李惠綿　從愛情的「真與幻」解讀《牡丹亭》與《長生殿》
　　　　　　　美育　第139期　頁82-89　2004年5月

1130　徐大軍　由《牡丹亭》中情、理的抑揚看湯顯祖的精神指向
　　　　　　　上海戲劇　2004年第Z2期　頁65-67　2004年

1131　楊豔琪　簡析《牡丹亭》中的性與情
　　　　　　　戲劇文學　2005年第4期　頁58-60　2005年

1132　葉樹發　同是「情」字，內含有別──論《西廂記》《牡丹亭》《長
　　　　　　　生殿》中的情
　　　　　　　藝術百家　2005年第4期　頁13-15　2005年

1133　辛意雲　天地一體‧物我和一的有情世界──看《牡丹亭》有感
　　　　　　　美育　第144卷　頁82-87　2005年3月

1134　鄒元江　湯顯祖情至論對儒家思想的揚棄
　　　　　　　東南大學學報（哲學社會科學版）　2006年第1期
　　　　　　　頁109-114轉頁125　2006年1月

1135　王華傑　「至情」的生死戀歌──論《牡丹亭》以「情」反「理」
　　　　　　　的審美意蘊
　　　　　　　戲劇文學　2006年第11期　頁47-49　2006年

1136　瞿華英　《牡丹亭》「至情」觀
　　　　　　　山東教育學院學報　2006年第2期　頁59-60轉頁63
　　　　　　　2006年

1137　蘭　珊　儒家之「情」與《牡丹亭》的思想魅力
　　　　　　　四川戲劇　2006年第4期　頁69-70轉頁66　2006年

1138　何　姍　《牡丹亭》中「情」的多重意蘊
　　　　　　　蘭州學刊　2006年第8期　頁74-76　2006年

1139　朱小利　淺談《牡丹亭》中「情」的豐富性
　　　　　　　四川戲劇　2006年第5期　頁82-83　2006年

1140 劉方政　說《牡丹亭》中的「情」
　　　　　　　齊魯學刊　2006年第6期　頁74-77　2006年

1141 劉松來　《牡丹亭》「至情」主題的歷史文化淵源
　　　　　　　文藝研究　2007年第3期　頁79-85轉頁175　2007年
　　　　　　　中國古代、近代文學研究（複印報刊資料）　2007年
　　　　　　　第7期　2007年

1142 張　淼　論《牡丹亭》對情的塑形
　　　　　　　重慶郵電大學學報（社會科學版）　2007年第2期
　　　　　　　頁99-101　2007年3月

1143 徐大軍　《牡丹亭》情理衝突的表現策略探析
　　　　　　　杭州師範學院學報（社會科學版）　2007年第3期
　　　　　　　頁90-100轉頁114　2007年5月

1144 韓　彬　以情反理　追求個性解放——從《牡丹亭》看湯顯祖的
　　　　　　　「至情」論
　　　　　　　考試周刊　2007年第20期　頁124　2007年

1145 陳瑞成　《牡丹亭》的情與夢
　　　　　　　嘉義市　南華大學文學系碩士論文　2007年

1146 王　瑾　一個「情」字催生的青春意識——對湯顯祖《牡丹亭》的
　　　　　　　思索
　　　　　　　廣東藝術　2007年第4期　頁22-23　2007年

1147 謝擁軍　《牡丹亭》的至情思想與明清女性情感教育
　　　　　　　廈門教育學院學報　2008年第1期　頁21-25　2008年
　　　　　　　3月

1148 趙明玉　《牡丹亭》之「情源」
　　　　　　　上饒師範學院學報　2008年第1期　頁37-39　2008年
　　　　　　　2月

1149 李振中　怎一個「情」字了得——論《牡丹亭》主旨的多元性特徵
　　　　　　四川戲劇　2008年第1期　頁29-30　2008年

1150 姜廣強　試論《牡丹亭》情理衝突的哲學思想基礎
　　　　　　現代語文（文學研究版）　2008年第1期　頁26-27
　　　　　　2008年

1151 周德禎　《牡丹亭》中杜麗娘愛情/情欲/身體自主之探究
　　　　　　屏東教育大學學報・人文社會類　第31卷　頁87-110
　　　　　　2008年9月

1152 姜伯勤　共入臨川夢中夢——試論陳寅恪先生的《牡丹亭》之杜麗
　　　　　　娘「至情」說
　　　　　　學術研究　2008年第6期　頁97-101　2008年

1153 楊艾明　《牡丹亭》情與理的衝突融合
　　　　　　河南教育學院學報（哲學社會科學版）　2008年第4
　　　　　　期　頁65-67　2008年

1154 張燕瑾　牡丹亭畔何為情
　　　　　　南京師大學報（社會科學版）　2008年第4期　頁136-
　　　　　　141轉頁153　2008年7月

1155 鄭　升　情的承繼與新變——試論才子佳人小說之「情」對《牡丹
　　　　　　亭》之「情」的接受
　　　　　　樂山師範學院學報　2009年第2期　頁27-30　2009年
　　　　　　2月

1156 李春芳　從《牡丹亭》看湯顯祖的人文「情」懷
　　　　　　名作欣賞　2009年第6期　頁24-26　2009年

1157 趙志軍　試論《牡丹亭》中愛情的前因與後果
　　　　　　四川戲劇　2009年第1期　頁41-46　2009年

1158 張亞鋒　《牡丹亭》劇中「情緣」思想探究

牡丹江師範學院學報（哲學社會科學版）　2009年第
3期　頁8-10　2009年

1159 趙琳娜　從《牡丹亭》透視湯顯祖的情感追求
科教文匯（上旬刊）　2009年第8期　頁225-226
2009年

1160 周明璃　品《牡丹亭》之探索「夢」的前奏與情感的變化
科教文匯（上旬刊）　2009年第11期　頁247　2009年

1161 梁　波　世間只有情難訴──淺析《牡丹亭》之於明清文人傳奇的
情感關涉
現代語文（文學研究版）　2009年第7期　頁45-47
2009年

1162 孫文靜　試論《牡丹亭》中的情
文學教育（下）　2010年第10期　頁96-97　2010年

1163 丁　婉　《牡丹亭》中的浪漫主義創作風格及「至情」理論
華章　2011年第1期　頁70　2011年

1164 徐振貴　論《牡丹亭》中情、理、勢「并露而周施」
藝術百家　2011年第5期　頁126-130　2011年

1165 辛　昕　《牡丹亭》之情
語文學刊　2011年第2期　頁71-72　2011年

1166 張麗紅　性愛欲望的詩意化象徵──《牡丹亭》「至情」主題的重
新探討
戲劇文學　2011年第6期　頁65-70　2011年

1167 堯　鑫　《牡丹亭》「至情」主題的文化意義
戲劇文學　2012年第1期　頁100-107　2012年

1168 王楠楠　試析《牡丹亭》情與理的衝突融合
中國科教創新導刊　2012年第1期　頁93　2012年

1169 徐　艷　從《牡丹亭》看湯顯祖的婚姻愛情觀
　　　　　　語文教學與研究　2012年第2期　頁95　2012年

1170 韋楊建　淺析《牡丹亭》中的情欲與愛情
　　　　　　芒種　2012年第6期　頁124-125　2012年

1171 章　穎　但是相思莫相負，牡丹亭上三生路——論《牡丹亭》的至
　　　　情表現
　　　　　　佳木斯教育學院學報　2012年第4期　頁58-60轉頁62
　　　　　　2012年

1172 范香君　淺析《牡丹亭》的情理衝突
　　　　　　開封教育學院學報　2012年第2期　頁22-24　2012年
　　　　　　6月

1173 程建忠　《牡丹亭》：「人」的讚美詩
　　　　　　四川戲劇　2012年第4期　頁39-41　2012年

1174 王　娟　寓「情」於「理」的《牡丹亭》
　　　　　　語文學刊　2012年第13期　頁22-23　2012年

1175 張志凌　論湯顯祖《牡丹亭》的「情」與「理」
　　　　　　安徽文學（下半月）　2012年第12期　頁60-61　2012
　　　　　　年

1176 孔慶東　至情至性《牡丹亭》——在中央芭蕾舞團的演講
　　　　　　藝術評論　2012年第12期　頁65-68　2012年

1177 丁　芳　情即理：陽明心學對《牡丹亭》情理關係的影響
　　　　　　蘭州學刊　2012年第12期　頁67-73　2012年

1178 周桂蓮　從《西廂記》《牡丹亭》《桃花扇》看元明清戲劇愛情觀變化
　　　　　　吉林化工學院學報　2014年第12期　頁121-124　2014
　　　　　　年3月

1179 陳麗如　論「理」的介入，「情」的抑制——以《牡丹亭》與《紅

樓夢》的花園、閨訓、懲罰事件為中心

興大中文學報　第35期　頁247-299　2014年6月

1180 任妍蓉　淺析《牡丹亭》《桃花扇》中的女性愛情觀

齊魯師範學院學報　2014年第3期　頁122-126　2014
年9月

1181 孫立民　從晚明到五四：中華天人合一自然觀的「情」變──以
《牡丹亭》《紅樓夢》〈傷逝〉為線索

淮北市　淮北師範大學文藝學碩士論文　2014年

1182 洪慧敏　《牡丹亭》情理觀析探

東吳中文研究集刊　第20期　頁37-55　2014年12月

1183 周　鑫　戲曲《牡丹亭》裡湯顯祖的大「愛」情懷──湯顯祖的愛
情進化論

吉林廣播電視大學學報2014年第3期　頁111-112
2014年

1184 王　珏、孫海蛟　《牡丹亭》中的「性意識」再探究

戲劇藝術　2014年第6期　頁29-34　2014年

1185 馬　瑞　淺談湯顯祖《牡丹亭》的婚姻局限意識

佳木斯職業學院學報　2014年第3期　頁84-84轉頁90
2014年

1186 郭　英　《牡丹亭》中有關愛情的語詞賞析

安順學院學報　2014年第1期　頁14-15　2014年

1187 陳燕華　《牡丹亭》之「至情」與泰州學派的戲劇精神

地方文化研究　2014年第2期　頁41-50轉頁22　2014
年7月

1188 甄洪永　湯顯祖「至情說」的多維解讀──兼論《牡丹亭》若干藝
術問題

中華戲曲　2014年第2期　頁39-50　2014年

1189　李克從　明清《牡丹亭》評點看「情」的嬗變

齊齊哈爾大學學報（哲學社會科學版）　2014年第2
期　頁85-87　2014年

1190　王　芳　情與生：《牡丹亭》的道教文化內蘊

上海市　華東師範大學宗教學碩士論文2015年

1191　朱松苗　「生者可以死，死者可以生」何以可能？——論《牡丹
亭》之「情」

太原理工大學學報（社會科學版）　2015年第2期
頁57-61　2015年

1192　趙　竹　《牡丹亭》中的人情與人性解析

文學教育（中）　2015年第10期　頁32-32　2015年10月

1193　李　煒　留人間多少愛，迎浮世千重變——從《牡丹亭》看湯顯祖
的情理觀

課外語文（下）　2015年第10期　頁198-198　2015年

1194　賈菲菲　「情」溢《牡丹亭》

環球人文地理　2015年第8期　頁294-295　2015年

1195　張正顯　《西廂記》《牡丹亭》到《紅樓夢》愛情主題深化及不同

鄂州大學學報　2015年第1期　頁60-62　2015年2月

1196　王　凱　至情至性湯顯祖，夢回驚囀牡丹亭——從《牡丹亭》看湯
顯祖的至情論

戲劇之家　2015年第8期　頁51-52　2015年8月

1197　許　玥　湯顯祖為《牡丹亭》構建的情感世界

金田　2015年12期　頁181-182　2015年

1198　未署名　牡丹亭之情與理的悲劇性衝突

中國湯顯祖文化網　http://www.txz-cul.com

1199 未署名　牡丹亭之追尋真愛的戲劇張力

中國湯顯祖文化網　http://www.txz-cul.com

1200 未署名　牡丹亭之「夢中之愛」亦奇亦真

中國湯顯祖文化網　http://www.txz-cul.com

1201 未署名　《牡丹亭》中的情與理

中國湯顯祖文化網　http://www.txz-cul.com

1202 商夢同　從杜麗娘的團圓結局看湯顯祖「至情說」與封建禮教的和解

湖南大眾傳媒職業技術學院學報　2016年第2期　頁66-68　2016年

1203 張　碩　論湯顯祖《牡丹亭》「至情」之美

大慶師範學院學報　2016年第4期　頁53-56　2016年

1204 王東林　《牡丹亭》「至情」主題與人文情懷

文學教育（上）　2016年第6期　頁62-63　2016年

1205 商夢同　從杜麗娘的團圓結局看湯顯祖「至情說」與封建禮教的和解

湖南大眾傳媒職業技術學院學報　2016年第2期　頁66-68　2016年

1206 郭　健　「情」與「理」的衝突──淺析《牡丹亭》

戲劇之家　2016年第5期　頁35-37　2016年

1207 鄧莉華　試論湯顯祖超越生死的至情說及其社會影響

文藝生活·文海藝苑　2016年第2期　頁51-52　2016年

7. 女性意識

1208 伏　濤　從《牡丹亭》看女性教育

貴州文史叢刊　2015年第1期　頁60-64　2015年

1209 同銀娣　從《西廂記》《牡丹亭》《紅樓夢》看元明清時期女性意識的覺醒

陝西師範大學繼續教育學報　2002年第2期　頁66-68
2002年

1210 舒紅霞　《西廂記》《牡丹亭》《紅樓夢》女性意識初探

大連大學學報　2002年第3期　頁98-101　2002年

（六）寫作藝術

1. 通論

1211 孟慶茹　評《牡丹亭》的大團圓結局

北華大學學報（社會科學版）　1996年第7期　頁19-
22　1996年

1212 范華群　《牡丹亭》是悲劇又是喜劇

劇影月報　1998年第4期　頁11-12　1998年

1213 黃蝶紅　「世間只有情難訴」——湯顯祖〈牡丹亭題詞〉欣賞

閱讀與寫作　頁8-9　1998年10月

1214 李　梁　《牡丹亭》音樂創作談

上海戲劇　1999年第10期　頁31　1999年

1215 錢　華　《牡丹亭》文化意蘊的多重闡釋

文學評論　2003年第6期　頁38-42　2003年

1216 未署名　浪漫動人的《牡丹亭》

閱讀與鑒賞（初中版）　2003年第1期　頁55　2003年

1217 黃天驥　鬧熱的《牡丹亭》——論明代傳奇的「俗」和「雜」

文學遺產　2004年第2期　頁85-95轉頁160　2004年4月
中國古代、近代文學研究（複印報刊資料）　2004年
第6期　2004年

1218 朱棟霖　《牡丹亭》的魅力

　　　　　　　藝術百家　2004年第4期　頁20-22轉頁55　2004年

1219 王太豐　伉儷絕唱《牡丹亭》——論湯顯祖《牡丹亭》的藝術追求

　　　　　　　石家莊職業技術學院學報　2005年第4期　頁17-19

　　　　　　　2005年8月

1220 王學敏　試論《牡丹亭》的悲劇實質

　　　　　　　山西高等學校社會科學學報　2006年第3期　頁131-

　　　　　　　133　2006年3月

1221 王　政　《還魂記》古俗考

　　　　　　　戲曲研究　2006年第3期　頁125-136　2006年

1222 宋　媛　賞心樂事還是悲情傷懷？——試論《牡丹亭》的悲劇內涵

　　　　　　　廣西大學學報（哲學社會科學版）　2007年第S3期

　　　　　　　頁9-10　2007年12月

1223 舒　展　《牡丹亭》的生命力

　　　　　　　民主與科學　2007年第3期　頁58　2007年

1224 未署名　「牡丹亭意象」乃傑出創作

　　　　　　　中國湯顯祖文化網　http://www.txz-cul.com

1225 馬　瑜　《牡丹亭》大團圓結局新解

　　　　　　　昆明學院學報　2010年第4期　頁36-38　2010年

1226 朱艷霎　淺析《牡丹亭》死亡復活意象的重複運用與悖論

　　　　　　　寧波職業技術學院學報　2011年第3期　頁95-97轉頁

　　　　　　　105　2011年6月

1227 劉　康　因情成夢，因夢成戲——由《牡丹亭》淺析湯顯祖的戲劇
　　　　　創作觀

　　　　　　　兵團教育學院學報　2011年第3期　頁14-16　2011年

　　　　　　　6月

2. 技巧結構

1238 姜姈妹　《牡丹亭》時空結構析論

　　　　　　戲曲研究　2003年第1期　頁106-118　2003年

1239 吳瑞霞　《牡丹亭》敘事結構的透視

　　　　　　湖北師範學院學報（哲學社會科學版）　2004年第4
　　　　　　期　頁57-59　2004年

1240 郭　梅　《牡丹亭》結構藝術初探

　　　　　　甘肅社會科學　2005年第5期　頁163-166轉頁159
　　　　　　2005年

1241 彭壽綺　試論《牡丹亭》之藝術成就——以戲劇結構和人物形象塑
　　　　　　造為主

　　　　　　寧園鐸聲　第2卷　頁29-46　2006年5月

1242 阿進錄　《牡丹亭》二元對立結構分析

　　　　　　青海師專學報　2007年第3期　頁27-29　2007年

1243 張　倩　《牡丹亭》的戲劇張力

　　　　　　新疆教育學院學報　2007年第1期　頁98-102　2007年
　　　　　　3月

1244 陳慧珍　明代《牡丹亭》評點中情節結構與人物塑造之探討

　　　　　　戲曲學報　第3卷　頁133-172　2008年6月

1245 趙亞明　淺論《牡丹亭》的悲劇意識

　　　　　　文學界（理論版）　2010年第6期　頁32-33　2010年

1246 劉淑麗　《牡丹亭》情節結構論析

　　　　　　戲曲藝術　2010年第2期　頁75-80　2010年5月

1247 管　允　《牡丹亭》中的身體敘事

　　　　　　青春歲月　2012年第14期　頁32　2012年

1248 李玲玲　《牡丹亭》的文本召喚結構

　　　　　　哈爾濱學院學報　2012年第6期　頁76-78　2012年6月

1249 郭　曼　湯顯祖《牡丹亭》案頭寫作藝術特色探究
　　　　　　群文天地　2012年第8期　頁62　2012年

1250 何紅霞　三生石上舊精魂——淺談《牡丹亭》的結構藝術
　　　　　　天津經理學院學報　2012年第5期　頁87-88　2012年
　　　　　　10月

1251 柳　迪　人鬼絕戀，因夢成戲——《牡丹亭》的敘事特點分析
　　　　　　現代語文（學術綜合版）　2013年第1期　頁17-19
　　　　　　2013年

1252 董宇宇　「團圓」的反諷內蘊與中國悲劇之特質：以《牡丹亭》為例
　　　　　　戲曲研究　第92輯　頁59-73　2014年12月

1253 張　俏　淺析《牡丹亭》的細節描寫
　　　　　　遼寧師專學報（社會科學版）　2014年第1期　頁10-
　　　　　　10轉頁15　2014年

1254 周鑫玉　《牡丹亭》的情節設置分析
　　　　　　北方文學（下旬刊）　2014年第3期　頁45-46　2014
　　　　　　年6月

1255 何曉琪　論湯顯祖《牡丹亭》之「雙線」藝術特色
　　　　　　文藝生活‧文海藝苑　2014年第8期　頁2-3　2014年

1256 譚亞南　從《牡丹亭》敘事技巧分析湯顯祖的覺醒意識
　　　　　　金田　2015年10期　頁25-46　2015年

1257 蘇梓齡　虛實之間，情愛所在——《牡丹亭》的空間敘事藝術賞析
　　　　　　名作欣賞　2015年第36期　頁131-133　2015年

1258 任佳希　論《牡丹亭》的敘事特色
　　　　　　河北科技師範學院學報（社會科學版）　2016年第2
　　　　　　期　2016年　頁51-55

1259 陳　蘭　《牡丹亭》結構主義敘事學解讀

長江大學學報（社會科學版）　2016年第3期　頁14-16　2016年6月

3. 夢的應用

1260 金　沙　杜麗娘之夢的文化內涵
　　　　　　中文自學指導　1998年第6期　頁38-40　1998年

1261 韓佳衛　試論悲劇《牡丹亭》中的「夢」
　　　　　　廣西師院學報（社科版）　1999年第2期　頁58-61　1999年

1262 闞　真　《牡丹亭》夢境描寫三題
　　　　　　學海　2001年第4期　頁158-162　2001年

1263 單有方　《牡丹亭》中的「夢」意象
　　　　　　南督學壇　2003年第2期　頁120　2003年3月

1264 王　兵　三種夢境，一樣人生──試析《莊子》、《牡丹亭》、《紅樓夢》之夢
　　　　　　遼寧教育行政學院學報　2004年第5期　頁75-76　2004年

1265 張麗紅　夢幻形式中的潛意識愿望──《牡丹亭》之「奇」的精神分析研究
　　　　　　戲劇文學　2005年第12期　頁65-67轉頁77　2005年

1266 李敏星　湯顯祖「二夢」接受研究
　　　　　　上海市　華東師範大學中國古代文學碩士論文　2007年

1267 賈　戎　《牡丹亭》裡好一夢
　　　　　　語數外學習（高中版高一年級）　2007年第1期　頁22-23　2007年

1268 馬　斌　《牡丹亭》的夢境意義
　　　　　　山東文學　2010年第S1期　頁61-62　2010年

1269 姬　慧　至情姻緣一「夢」千——試析《牡丹亭》中的夢境描寫

　　　　　　西安文理學院學報（慧科學版）　2012年第3期　頁
　　　　　　26-28　2012年6月

1270 陳文兵　夢是夢・夢似夢・夢非夢——論《牡丹亭》的夢境描寫

　　　　　　四川戲劇　2012年第3期　頁40-42　2012年

1271 章　芳　《牡丹亭》夢境意義探微

　　　　　　長江大學學報（社會科學版）　2014年第4期　頁25-
　　　　　　26　2014年6月

1272 鄭　妮　用佛洛德精神分析理論解讀湯顯祖的戲劇創作——以《牡
　　　　　　丹亭》為例

　　　　　　北方音樂　2014年第8期　頁117-117　2014年

1273 胡志毅　夢幻、夢境與神話儀式——湯顯祖的《牡丹亭》與莎士比
　　　　　　亞的《仲夏夜之夢》

　　　　　　藝術評論　2016年第10期　頁25-30　2016年

1274 王雪峰　《牡丹亭》隱性之夢的文化意蘊

　　　　　　戲劇文學　2016年第9期　頁60-65　2016年

1275 陳文輝　《牡丹亭》夢境描寫在中國文學史上的意義

　　　　　　昆明學院學報　2016年第4期　頁98-106　2016年

4. 語言文字

1276 張美慧　《牡丹亭》曲詞運用賦體技巧之研究

　　　　　　臺南市　國立成功大學中國文學系碩士論文　1997年

1277 趙山林　《牡丹亭》的評點

　　　　　　藝術百家　1998年第4期　頁58-67　1998年

1278 李曉剛　雕鏤至極　漸進自然——《牡丹亭》戲曲語言「雕琢」論

　　　　　　陝西教育　1998年第11期　頁37　1998年

1279 Melvin Sheila　China's Homegrown "Peony Pavilion,"
　　　　　Wall Street Journal (Eastern Edition), Nov.24,1999.

1280 張紅運　《牡丹亭》曲意自況說
　　　　　天中學刊　2000年第6期　頁48-50　2000年12月

1281 周志武　試論《牡丹亭》的審美價值
　　　　　撫州師專學報　2000年第3期　頁47-50　2000年

1282 汪小洋　《牡丹亭》敘述語法探討
　　　　　南京師大學報（社科版）　2000年第4期　頁126-130
　　　　　2000年

1283 韓霜梅　天縱逸才暢奇情，情到真時事亦真——談《牡丹亭》的浪
　　　　　漫主義特色
　　　　　紀念湯顯祖誕辰450周年學術研討會論文　江西省撫
　　　　　州市政府主辦　2000年8月23-25日

1284 周育德　百計思量，設個為歡處——湯顯祖《牡丹亭》家門解
　　　　　湯顯祖首屆年會論文　浙江遂昌縣　浙江省文化廳主
　　　　　辦　2001年8月

1285 劉曉東　豈只言情　亦在述志——《牡丹亭》創作主旨新探
　　　　　福建師範大學學報（哲學社會科學版）　2002年第4
　　　　　期　頁94-98　2002年

1286 譚　坤　《牡丹亭》曲意探微
　　　　　戲劇藝術　2002年第1期　頁65-70　2002年

1287 劉開田　論《牡丹亭》的潛在話語
　　　　　黃崗師範學院學報　2002年第4期　頁36-38　2002年
　　　　　8月

1288 林祖誠　「牡丹亭」的經典詮釋
　　　　　聯合文學　第20卷6期　頁53-56　2002年4月

1289 李相雨　《牡丹亭》的藝術價值考察
　　　　　　　中國學論叢　第16卷　頁61-76　2003年

1290 葛麗英　曲白相生　雅俗與共——《牡丹亭》文本語言風格芻議
　　　　　　　語文學刊　2004年第11期　頁22-24　2004年

1291 朱恒夫　作品的缺陷與評論的缺陷——讀湯顯祖的《牡丹亭》及其
　　　　　　評論
　　　　　　　浙江藝術職業學院學報　2004年第4期　頁36-40
　　　　　　　2004年12月

1292 陳偉娜　重論湯顯祖《牡丹亭》之音律及「湯沈之爭」的曲學背景
　　　　　　　溫州師範學院學報　2005年第4期　頁34-41　2005年

1293 陳貞吟　論湯顯祖《牡丹亭》的詼諧趣味
　　　　　　　國文學報（高雄師範大學）第4卷　頁133-150　2006
　　　　　　　年6月

1294 何小平　《牡丹亭》悲劇審美型態論
　　　　　　　文教資料　2007年第19期　頁73-77　2007年7月

1295 魏　琳　「情」的頌歌——論《牡丹亭》的浪漫主義特色
　　　　　　　甘肅政法成人教育學院學報　2007年第5期　頁128-
　　　　　　　129　2007年10月

1296 梁秀玲　至情牡丹亭——湯顯祖《牡丹亭》賞析
　　　　　　　新疆教育學院學報　2007年第3期　頁99-101　2007年
　　　　　　　9月

1297 楊玉軍　論儒、道、釋文化對《牡丹亭》藝術境界的建構
　　　　　　　呼倫貝爾學院學報　2007年第5期　頁35-38　2007年
　　　　　　　10月

1298 張來芳　《牡丹亭》審美特色探賾
　　　　　　　南昌大學學報（人文社會科學版）　2007年第4期
　　　　　　　頁108-112轉頁117　2007年7月

1299 劉欽榮　《牡丹亭》中的嘆詞運用
　　　　　　　河南教育學院學報（哲學社會科學版）　2007年第5
　　　　　　　期　頁132-135　2007年

1300 李　成　曲度盡傳春夢景「以幻為真」抒至情──論《牡丹亭》真
　　　　　　幻交融的審美藝術功能
　　　　　　　學術交流　2008年第1期　頁161-164　2008年1月

1301 苗　雨　探究《牡丹亭》經典段落中的潛臺詞
　　　　　　　閩江學院學報　2008年第3期　頁59-61　2008年6月

1302 沈達人　《牡丹亭》曲意諸家說
　　　　　　　中國戲劇　2008年第4期　頁24-25　2008年

1303 朱仰東　再論湯本原著《牡丹亭》的聲腔問題
　　　　　　　溫州大學學報（社會科學版）　2010年第1期　頁76-
　　　　　　　80　2010年1月

1304 阿　含　牡丹語・花開的期待・與花有緣
　　　　　　　牡丹　2010年第4期　頁64-67　2010年

1305 楊　柳　人鬼情未了──淺析《牡丹亭》中的愛情模式及其文化成因
　　　　　　　安徽文學（下半月）　2010年第6期　頁73-74　2010年

1306 張鵬飛　論華夏古典悲劇《牡丹亭》敘事范式的審美表徵
　　　　　　　江西科技師範學院學報　2010年第3期　頁115-119
　　　　　　　2010年6月
　　　　　　　玉林師範學院學報　2010年第6期　頁60-64　2010年

1307 陳　均　關於《牡丹亭・蝶戀花》的一些閒事
　　　　　　　名作欣賞　2010年第31期　頁45-46　2010年

1308 韓淑芹　《牡丹亭》中的典型修辭格及其英譯賞析
　　　　　　　時代文學（下半月）　2012年第4期　頁178-179　2012年

1309 馬濟萍　從戲劇形象解構《牡丹亭》的「立言神指」
　　　　　　　文教資料　2012年第22期　頁6-8　2012年

1310 雷曉春　《牡丹亭》的悲情藝術分析──從冷色調詞語及意象的重
複談起
荊楚理工學院學報　2012年第10期　頁42-46　2012年
10月

1311 Volpp, Sophie. "Texts, Tutors, and Fathers: Pedagogy and Pedants in
Tang Xianzu's Mudan ting," In Wang, David Der-wei and
Shang Wei eds. *Dynastic Crisis and Cultural Innovation
from the Late Ming to the Late Qing and Beyond*
(Cambridge: Harvard University Asian Center, 2005), 25-
62.

1312 孫　琳　《牡丹亭》愛情描寫詞語研究
重慶市　西南大學漢語言文字學碩士論文　2012年

1313 程建偉　《牡丹亭》與《紫釵記》形容詞研究
重慶市　西南大學漢語言文字學碩士論文　2010年

1314 劉　穎　《牡丹亭》戲曲語言的修辭藝術
南京市　南京林業大學漢語言文字學碩士論文　2010年

1315 何晨傑　《牡丹亭》副詞研究
太原市　山西師範大學語言學及應用語言學碩士論文
2014年

1316 廖　悰　《牡丹亭》中的禁語現象
戲劇文學　2014年第7期　頁83-87　2014年

1317 劉　璐　《牡丹亭》雙關的修辭效果及成因
文教資料　2014年第33期　頁12-13轉頁16　2014年

1318 陶明玉　身體隱喻：再探《牡丹亭》的「花園」
青年文學家　2014年第23期　頁72-72　2014年12月

1319 劉　璐　《牡丹亭》修辭格研究
南京市　南京師範大學漢語言文字學碩士論文2015年

1320 鄧麥茵　《牡丹亭》中的認知轉喻研究
　　　　　　梧州學院學報　2015年第5期　頁71-75轉頁93　2015
　　　　　　年3月

1321 黃肖嘉　《牡丹亭》與「離魂」現象的互文
　　　　　　晉中學院學報　2015年第1期　頁108-112　2015年4月

1322 張　蒙　《牡丹亭》用典芻議
　　　　　　黑龍江史志　2015年第9期　頁331-332　2015年8月

1323 萬　佳　《牡丹亭》的文本語言分析
　　　　　　文學教育（下）　2015年第9期　頁24-25　2015年9月

1324 鄧麥茵　明代戲曲概念隱喻研究──以《牡丹亭》為例
　　　　　　南昌教育學院學報　2015年第4期　頁11-13轉頁16
　　　　　　2015年9月

1325 張嵐嵐　明清傳奇互文性創作研究──以傳奇對《牡丹亭》的接受
　　　　　　為中心
　　　　　　南京師大學報（社會科學版）　2015年第5期　頁129-
　　　　　　134　2015年10月

1326 왕비연　湯顯祖《牡丹亭》插圖的審美意味
　　　　　　中國人文科學　第60期　頁359-378　2015年8月

1327 林宗毅　論《牡丹亭》中的夫妻之情及其意義
　　　　　　藝見學刊　第12期　頁33-41　2016年10月

1328 王　健　昆劇人物再設計──關於《牡丹亭》夢境意象與敘事的視
　　　　　　覺語言研究
　　　　　　北京市　中央美術學院藝術設計碩士論文　2016年

1329 鄧麥茵　認知轉喻視閾下語篇銜接連貫功能研究──以《牡丹亭》
　　　　　　為例
　　　　　　桂林市　廣西大學英語語言文學碩士論文　2016年

1330 陳　旭　晚明尊情思潮下女性主體意識的萌動——以湯顯祖《牡丹
亭》為例
青年文學家　2016年第12期　頁160-161　2016年

5. 集唐詩

1331 根ヶ山徹著、王毓雯譯　湯顯祖《還魂記》中引用的杜詩
國際漢學論叢　第1輯　頁135-152　臺北市　樂學書
局　1999年7月

1332 高　琦　徐朔方箋校本《牡丹亭》「集唐」詩標註補正
撫州師專學報　2002年第1期　頁5-7　2002年3月

1333 高　琦　《牡丹亭》讀本的缺憾與完善——徐朔方箋笑本下場詩
「集唐」句標注訂校之一
東華理工學院學報（社會科學版）　2004年第2期
頁13-19　2004年6月

1334 高　琦　補正缺憾　傳承善本——《牡丹亭》箋校本下場詩「集
唐」句標注訂校之二
東華理工學院學報（社會科學版）　2005年第2期
頁111-117　2005年6月

1335 王育紅　《牡丹亭》「集唐詩」探析
中國韻文學刊　2005年第2期　頁71-76　2005年6月

1336 黃　斌　略論《牡丹亭》中的集唐詩
哈爾濱學院學報　2006年第1期　頁99-102　2006年1月

1337 陳富容　《牡丹亭》下場詩集唐之研究
輔仁國文學報　第21卷　頁195-222　2006年7月

1338 吳彩娥　詩與劇的共舞——論《牡丹亭》下場詩的美感作用
國文學誌　第17卷　頁125-145　2008年12月

1339 包曉鵬　《牡丹亭》下場詩初探
　　　　　　　古典文學知識　2010年第5期　頁86-91　2010年
1340 吳鳳雛　關於《牡丹亭》中的「集唐」詩
　　　　　　　東華理工大學學報（社會科學版）　2011年第2期　頁
　　　　　　　101-103　2011年6月
1341 呂家慧　世總為情：論《牡丹亭》中的「集唐詩」
　　　　　　　九州學林　第34期　頁213-248　2014年
1342 周　衡　湯顯祖的《牡丹亭》與唐詩
　　　　　　　武漢理工大學學報（社會科學版）　2015年第6期
　　　　　　　頁1223-1227　2015年
1343 이경현　《牡丹亭》에서　唐詩　集句의　의미：明代의　唐詩熱
　　　　　　　과의 상관관계를　중심으로（《牡丹亭》中的意義唐詩集
　　　　　　　句：基於的明代/唐詩熱之間的相關性）
　　　　　　　中國文學　제86집　頁71-92　韓國中國語文學會
　　　　　　　2016年2

6. 植物意象

1344 林宗毅　《牡丹亭》「柳」、「梅」意象及其演出別議
　　　　　　　國文學誌　第17卷　頁181-197　2008年12月
1345 潘　攀　淺談《牡丹亭》中梅意象的繼承與回溯
　　　　　　　文教資料　2008年第28期　頁103-105　2008年10月
1346 陳小鳳　論戲曲意象的多重審美功能——以《牡丹亭》中「柳」意
　　　　　　　象為例
　　　　　　　齊齊哈爾師範高等專科學校學報　2010年第4期　頁
　　　　　　　49-50　2010年

7. 作品風格

（七）各齣析論

1. 閨塾

1355 李國民　關於《閨塾》

語文學習　2002年第6期　頁26-29　2002年

1356 鄧　彤　《閨塾》

語文教學通訊　2001年第24期　頁33-36　2001年

1357 石群英　在情與理的衝突中凸顯人物個性——《牡丹亭・閨塾》備
課札記

中學語文教學　2002年第5期　頁25-26　2002年

1358 何　銘　怎一個「鬧」字了得——談《牡丹亭・閨塾》的喜劇氛圍

中學語文教學　2002年第4期　頁33-34　2002年

1359 陳文珍　千古絕調話《圓駕》——談《牡丹亭・圓駕》的藝術特色

三明高等專科學校學報　2002年第4期　頁118-121
2002年12月

1360 崔洛民　湯顯祖的「孝」「慈」理念——讀《牡丹亭・遇母》

棗莊師範專科學校學報　2002年第1期　頁27-30
2002年

1361 陸精康　《閨塾》的「定場詩」與「下場詩」

中學語文教學　2003年第4期　頁33-34　2003年

1362 湯顯祖　閨塾

當代學生　2004年第8期　頁22-26　2004年

1363 陸燕飛　交相輝映　妙趣橫生——《閨塾》導讀

語文天地　2004年第11期　頁3-4　2004年

1364 范　瑾　《閨塾》內外真性情

語文建設　2005年第5期　頁48-61　2005年

1365 胡明道　我教〈閨塾〉
　　　　　　語文教學通訊　2005年第12期　頁27-29　2005年
1366 蔡永平　〈閨塾〉教學的啟示
　　　　　　學語文　2005年第4期　頁18-19　2005年
1367 喻　婷　「鬧」字下的「溫柔一刀」──也談〈閨塾〉的思想性
　　　　　　中學語文　2007年第21期　頁40-41　2007年
1368 洪浩平　從〈閨塾〉說開去
　　　　　　文學教育（上）　2008年第1期　頁142-143　2008年
1369 劉國梁　綠楊煙外曉寒　紅杏枝頭春意鬧──析《閨塾》之「鬧」
　　　　　　閱讀與賞鑒（教研版）　2008年第4期　頁25-26
　　　　　　2008年
1370 薛振碧　《閨塾》對當前課堂教學的啟示
　　　　　　語文教學之友　2008年第5期　頁10-11　2008年
1371 王　政　湯顯祖《牡丹亭・閨塾》中的風俗內涵略考
　　　　　　作家　2010年第18期　頁113-114　2010年
1372 秦小智　論語文教學中情感教育的重要性──《閨塾》一課文化內
　　　　　　涵揭示
　　　　　　經營管理者　2010年第18期　頁380　2010年
1373 郭貴靈　從《閨塾》看《牡丹亭》配角設置的藝術性
　　　　　　甘肅教育　2011年第7期　頁57　2011年

2. 勸農

1374 萬斌生　《牡丹亭・勸農》與《南柯記・風謠》的同異
　　　　　　撫州師專學報　2000年3期　頁42-46轉頁102　2000年
　　　　　　9月
1375 田曉菲　「田」與「園」之間的張力──關於《牡丹亭・勸農》

湯顯祖與牡丹亭（上）　頁313-342　華瑋主編　臺北
市　中央研究院中國文哲研究所　2005年12月

1376 Mackerras, Colin. "The Imperial Granary Production of *Mudan Ting* (The Peony Pavilion)." *Chinoperl Papers* No.29 (2010): 209-216.

1377 劉康寧　班春・勸農——浙江遂昌民間特色風俗考
今日科苑　2011年第8期　頁41-42　2011年

1378 倪　童　《勸農》與《遊園》的雙重世界
青年文學家　2015年第12期　頁32-32　2015年

3. 驚夢

1379 林　萍　韓世昌老師教我《遊園》
（上）戲曲藝術　1998年第3期　1998年
（下）戲曲藝術　1998年第4期　1998年

1380 陳凱莘　「牡丹亭・驚夢」之花神演出考
國立編譯館館刊　第27卷第2期　頁97-111　1998年12月

1381 邵　飛　茫茫人事　游園一夢——《游園驚夢》淺析
內蒙古電大學刊　2000年第5期　頁6-7　2000年

1382 范正明　田漢「牡丹亭」尋夢
中國戲劇　2001年第6期　頁56　2001年

1383 辰　樂　《游園驚夢》
歌海　2001年第12期　頁37　2001年

1384 梨園子　關於《游園驚夢》
電影評介　2001年第12期　頁26-27　2001年

1385 王茂恒　得意惟在牡丹　好夢始於游園——《牡丹亭》〈驚夢賞析〉
閱讀與寫作　2002年第6期　頁13-14　2002年

1386 華　瑋　則為你如花美眷，似水流年——《牡丹亭》〈驚夢〉的詮
　　　　　釋及演出
　　　　　　　臺灣戲專學刊　第7卷　頁91-103　2003年7月

1387 錢仁平　與「驚夢」的三重「對話」——徐孟東室內樂〈驚夢〉解析
　　　　　　　音樂研究　2003年第3期　頁66-71　2003年

1388 王國彬　復活的象徵——淺談《牡丹亭》〈驚夢〉中柳生手中的那
　　　　　枝「柳」
　　　　　　　蘇州教育學院學報　2005年第2期　頁27-30　2005年6月

1389 王麗梅　縱有千種風情更與何人說——《牡丹亭》〈驚夢〉賞析
　　　　　　　名作欣賞　2005年第23期　頁36-40　2005年

1390 陸萼庭　〈遊園驚夢〉集說
　　　　　　　湯顯祖與牡丹亭（下）　頁699-736　華瑋主編　臺北
　　　　　　　市　中央研究院中國文哲研究所　2005年12月

1391 林鶴宜　從〈驚夢〉〈尋夢〉到《如夢之夢》——談古今劇場兩個
　　　　　居然照應的時空觀
　　　　　　　湯顯祖與牡丹亭（下）　頁921-954　華瑋主編　臺北
　　　　　　　市　中央研究院中國文哲研究所　2005年12月

1392 李惠綿　從「春」的意象閱讀《牡丹亭》〈驚夢〉
　　　　　　　戲劇學刊　第3卷　頁129-146　2006年1月

1393 林佳樺　《牡丹亭》〈驚夢〉的修辭藝術
　　　　　　　萬芳學報　第3卷　頁1-13　2007年4月

1394 劉小梅　理學的「窮理盡性」與杜麗娘的游園驚夢——對湯顯祖
　　　　　「以情格理」的再理解
　　　　　　　藝術百家　2007年第6期　頁82-85　2007年

1395 吳　瓊　《大學語文・驚夢》注商四則
　　　　　　　學語文　2008年第4期　頁48　2008年

1396 吉靈娟　昆曲曲律與《牡丹亭》之〈驚夢〉曲詞英譯

　　　　　　江南大學學報（人文社會科學版）　2009年第5期

　　　　　　頁118-123　2009年10月

1397 張雪莉　從女性接受角度談《牡丹亭》〈驚夢〉的教學

　　　　　　學語文　2009年第6期　頁34　2009年

1398 宣　沫　《牡丹亭‧游園》教學設計

　　　　　　語文學習　2010年第12期　頁8-9轉頁3　2010年

1399 臧德明　天下女子有情，寧有如杜麗娘者乎──《牡丹亭‧游園》

　　　　　　賞析

　　　　　　文教資料　2011年第19期　頁14-15　2011年7月

1400 宣　沫　便縱有千種風情，更與何人說！──我教《牡丹亭‧游園》

　　　　　　語文教學通訊　2011年第34期　頁15-17　2011年12月

1401 王　瓊　亦真亦幻──談《游園驚夢》的設計靈感

　　　　　　公共藝術　2011年第6期　頁23　2011年

1402 曹廣華　此孟非比夢──〈游園驚夢〉與元雜劇愛情夢敘述之比較

　　　　　　四川戲劇　2012年第1期　頁37-41　2012年

1403 木　木　〈驚夢〉──當昆曲遇上芭蕾

　　　　　　讀者欣賞（理論版）　2012年第Z2期　頁66-68　2012年

1404 楊麗宏　從《牡丹亭》〈驚夢〉看湯顯祖對情的肯定

　　　　　　文學教育（上）　2013年第4期　頁87-88　2013年4月

1405 顧瑞雪　〈驚夢〉三境界

　　　　　　當代戲劇　2012年第3期　頁21-22　2012年

1406 袁　碩　論昆曲《牡丹亭‧遊園》的古風古韻──以選段「皂羅

　　　　　　袍」為例

　　　　　　戲劇之家　2015年第4期　頁37-37　2015年

4. 尋夢

1407 席　紅　尋尋覓覓溫舊夢，生生死死為多情——《牡丹亭》第十二
　　　　　　齣〈尋夢〉賞析
　　　　　　　語文學刊　2000年第5期　頁1-3　2000年
1408 王　芳　《牡丹亭》〈尋夢〉
　　　　　　　江蘇省蘇昆劇團表演、中國戲劇場（網路戲劇雜誌）
　　　　　　　2001年10月20日

5. 寫真

1409 張筱梅　杜麗娘〈寫真〉與女性的自我呈現
　　　　　　　徐州師範大學學報（哲學社會科學版）　2007年第6
　　　　　　　期　頁28-32　2007年11月
1410 張舒然　畫像與主體意識覺醒——湯顯祖《牡丹亭》第十四齣〈寫
　　　　　　真〉之精神分析
　　　　　　　山西財經大學學報　2012年第S2期　頁207-209　2012
　　　　　　　年5月
1411 劉信蔚　《牡丹亭・寫真》之精神分析
　　　　　　　黑龍江史志　2014年第7期　頁210-211轉頁213　2014年

6. 道覡

1412 戴　健　「荒唐言」背後的「真滋味」——《牡丹亭》〈道覡〉解析
　　　　　　　江蘇廣播電視大學學報　2010年第6期　頁47-49
　　　　　　　2010年

7. 冥判

1413 徐燕琳　《牡丹亭》〈冥判〉和判官戲

民族藝術　2005年第1期　頁82-90　2005年

1414 李　天　論《牡丹亭》〈冥判〉報花情節中的女性意識

考試週刊　2015年第51期　頁20-21轉頁85　2015年9月

8. 其他

1415 崔洛民　湯顯祖的「孝‧慈」理念——讀《牡丹亭》〈遇母〉

棗莊師範專科學校學報　2002年第2期　頁27-30

（八）人物研究

1. 合論

1416 李舜華　花園內外，陰陽兩界——試論《牡丹亭》男性世界與女性
世界的分與合

北京師範大學學報（社會科學版）　2000年第5期
頁77-84　2000年

1417 劉琳琳　《牡丹亭》人物簡評

雁北師範學院學報　2004年第1期　頁54-56　2004年
2月

1418 陳　陽　《牡丹亭》中情愛女性潛意識描寫探微

浙江社會科學　2005年第3期　頁177-179　2005年5月

1419 未署名　從牡丹亭、邯鄲記看寶黛二人之悲劇

中國湯顯祖文化網　http://www.txz-cul.com

1420 Volpp, Sophie.　"Texts, Tutors, and Fathers: Pedagogy and Pedants in

Tang Xianzu's Mudan ting."In Wang, David Der-wei and Shang Wei eds. *Dynastic Crisis and Cultural Innovation from the Late Ming to the Late Qing and Beyond* (Cambridge: Harvard University Asia Center, 2005), 25-62.

1421　袁書菲　文本、塾師與父親——湯顯祖《牡丹亭》中的教學與迂儒
　　　　　　英語世界的湯顯祖研究論著選譯　頁128-185　徐永
　　　　　　明、陳麤沅主編　杭州市　浙江古籍出版社　2013年
　　　　　　3月

1422　姜妗妹　湯顯祖《牡丹亭》中反封建禮教的女性們
　　　　　　公演文化研究　第3卷　頁117-150　2001年

1423　謝新暎　《西廂記》《牡丹亭》的女性形象
　　　　　　寧德師專學報（哲學社會科學版）　2002年第4期
　　　　　　頁38-40　2002年

1424　李雙芹　回歸生命的感性存在——從《牡丹亭》中幾個人物的殘缺
　　　　　　性談起
　　　　　　戲劇　2003年第2期　頁138-144　2003年

1425　尹　導　《西廂記》《牡丹亭》《桃花扇》中的才子佳人模式的演變
　　　　　　江蘇教育學院學報（社科版）　2005年第1期　頁90-
　　　　　　92　2005年

1426　紀　軍　論《牡丹亭》裡的女性習俗
　　　　　　長江大學學報（社會科學版）　2008年第5期　頁42-
　　　　　　45　2008年10月

1427　孫桂平　論《牡丹亭》的人物格局和矛盾衝突設置
　　　　　　溫州大學學報（社會科學版）　2010年第2期　頁79-
　　　　　　83　2010年3月

1428 鄧　琳　《牡丹亭》中的父與女
　　　　　　文學界（理論版）　2010年第10期　頁36-37　2010年

1429 未署名　尋夢緣——杜麗娘與柳夢梅
　　　　　　廣東藝術　2010年第1期　頁81　2010年

1430 王小琴　湯顯祖《牡丹亭》的人物形象描寫
　　　　　　芒種　2012年第10期　頁122-123　2012年

1431 王冠波　談《牡丹亭》女性意識形象的多重意蘊
　　　　　　名作欣賞　2012年第21期　頁97-98　2012年

1432 楊　杉　《牡丹亭》中的夫妻群象塑造
　　　　　　華中師範大學研究生學報　2012年第4期　頁79-82
　　　　　　2012年12月

1433 江　衍　比較《杜麗娘慕色還魂記》與《牡丹亭》中的母女關係
　　　　　　文學界（理論版）　2012年第11期　頁8-9　2012年

2. 杜麗娘

1434 姚　莽　形象結構理論與杜麗娘的形象創造
　　　　　　戲劇　1996年第2期　頁46-52　1996年
　　　　　　中國古代、近代文學研究（複印報刊資料）　1996年
　　　　　　第11期　1996年

1435 陸志平　杜麗娘形象簡析
　　　　　　康定民族師範高等專科學校學報　1998年第4期　頁
　　　　　　44-46　1998年12月

1436 程步奎　花木蘭與杜麗娘
　　　　　　當代　第13卷　頁4-13　1998年7月

1437 沈映麗　原來是奼紫嫣紅開遍——我演杜麗娘的一點體會
　　　　　　上海戲劇　1999年第10期　頁24-25　1999年

1438 Oestreich, James R.　Painting a Princess

　　　　　　　　New York Times, July 4, 1999.

1439 李雪梅　我演杜麗娘

　　　　　　　　上海戲劇　1999年第10期　頁22　1999年

1440 黃殿盈　試論《牡丹亭》中杜麗娘的形象

　　　　　　　　鄭州經濟管理幹部學院學報　1999年第2期　頁66-68

　　　　　　　　1999年6月

1441 王曉順　淺析杜麗娘的性格矛盾

　　　　　　　　劇作家　2000年第3期　頁65-67　2000年

1442 林秀珍　湯顯祖筆下的女性形象——談霍小玉和杜麗娘

　　　　　　　　中國語文　第88卷第2期　頁81-84　2001年2月

1443 葉樹發　杜麗娘的愛情觀

　　　　　　　　江西教育學院學報　2001年第2期　頁17-21　2001年

　　　　　　　　4月

1444 劉漢光　性愛女神的復活——從杜麗娘的原型看《牡丹亭》的文化

　　　　　　　　意義

　　　　　　　　廣東職業技術師範學院學報　2001年第1期　頁24-29

　　　　　　　　2001年

1445 陳　多　杜麗娘情緣三境

　　　　　　　　戲劇藝術　2002年第1期　頁54-64　2002年

1446 金　鑫　崔鶯鶯、杜麗娘、林黛玉叛逆形象之比較

　　　　　　　　宜春學院學報　2002年第5期　頁38-42轉頁47　2002年

1447 賈文勝　試論杜麗娘的女性形象

　　　　　　　　杭州醫學高等專科學校學報　2003年第4期　頁184-

　　　　　　　　188　2003年8月

1448 Idema, Wilt L.　" 'What Eyes May Light upon My Sleeping Form': Tang

Xianzu's Transformation of His Sources, with a Translation of Du Liniang Craves Sex and Returns to Life,' " *Asia Major*, Vol. 16, Part1 (2003): 111-145.

1449 鄭尚憲　生生死死，真真幻幻——杜麗娘情感世界尋繹
　　　　　藝術百家　2003年第3期　頁17-20　2003年

1450 葉樹發　論杜麗娘的愛情觀
　　　　　戲曲研究　2003年第1期　頁119-127　2003年

1451 劉瑞昌　以情格理　生死以之——從杜麗娘看《牡丹亭》反應的時代潮流
　　　　　滄州師範專科學校學報　2003年第3期　頁21-22
　　　　　2003年9月

1452 陳曉清　女兒心性未分明——論杜麗娘形象的文化屬性與女性屬性
　　　　　固原師專學報　2003年第4期　頁33-35　2003年7月

1453 陳湘庸　論杜麗娘形象的獨特性與價值
　　　　　朱州師範高等專科學校學報　2004年第3期　頁57-59
　　　　　2004年6月

1454 杜改俊　敘述生命的需要——《牡丹亭》中杜麗娘意義再探討
　　　　　藝術百家　2004年第4期　頁23-27　2004年

1455 金文星　人性的呼喚——試析杜麗娘的藝術形象
　　　　　南陽師範學院學報　2004年第11期　頁64-65　2004年
　　　　　11月

1456 王治浩　杜麗娘的形象及其內涵
　　　　　河南商業高等專科學校學報　2004年第6期　頁69-71
　　　　　2004年11月

1457 陳慧芬　對崔鶯鶯、杜麗娘、林黛玉的比較分析
　　　　　語文教學通訊　2004年第9期　頁35　2004年

1458 張　悅　花開兩朵，各表一枝——崔鶯鶯、杜麗娘形象解讀
　　　　　　語文教學通訊　2005年第12期　頁34-35　2005年

1459 未署名　四代「杜麗娘」同迎新春
　　　　　　中國戲劇　2005年第3期　頁18　2005年

1460 張淑香　杜麗娘在花園——一個時間的地點
　　　　　　華瑋主編　湯顯祖與牡丹亭（上）　頁259-288　臺北
　　　　　　市　中央研究院中國文哲研究所　2005年12月

1461 羅昔明　靈與肉契合中異化的救贖——性別批評中的杜麗娘形象再
　　　　　　解讀
　　　　　　湖南科技學院學報　2005年第1期　頁105-109　2005
　　　　　　年1月

1462 洪　艷　至「情」的化身——析《牡丹亭》中杜麗娘的藝術形象
　　　　　　景德鎮高專學報　2005年第1期　頁38-40　2005年3月

1463 張紅梅　情女杜麗娘
　　　　　　中學生閱讀（高中版）　2006年第5期　頁42-43　2006年

1464 朱占青　杜麗娘愛情新論
　　　　　　商丘師範學院學報　2007年第4期　頁32-36　2007年
　　　　　　4月

1465 劉　波　從杜麗娘形象的浪漫主義色彩看湯顯祖的「至情」觀
　　　　　　陰山學刊（社會科學版）　2007年第1期　頁32-34
　　　　　　2007年2月

1466 何京敏　「至情」女性杜麗娘的現代意識
　　　　　　戲劇之家　2007年第2期　頁82-90　2007年

1467 謝擁軍　杜麗娘的情夢與明清女性情愛教育
　　　　　　北京師範大學學報（社會科學版）　2007年第4期
　　　　　　頁47-54　2007年

1468 韓巧玲　多重肉身──《牡丹亭》杜麗娘的女體論述

　　　　　　臺北市　國立臺灣大學戲劇研究所碩士論文　2007年

1469 徐新敏　試論《牡丹亭》杜麗娘形象的多重意蘊

　　　　　　遼寧教育行政學院學報　2007年第11期　頁132-134

　　　　　　2007年11月

1470 童　丹　「杜麗娘」的角色分析及表演設計

　　　　　　藝術教育　2007年第2期　頁22-23　2007年

1471 劉　菲　至情的化身──論杜麗娘形象的動人魅力

　　　　　　天津職業院校聯合學報　2008年第1期　頁115-117

　　　　　　2008年1月

1472 龐　麗　生生死死為情多──杜麗娘形象分析

　　　　　　和田師範專科學校學報　2008年第3期　頁70-71

　　　　　　2008年7月

1473 沈豐英　我演杜麗娘

　　　　　　劇影月報　2008年第2期　頁28-31　2008年

1474 潘東明　淺談杜麗娘的夢

　　　　　　科技信息（科學教研）　2008年第13期　頁363

　　　　　　2008年

1475 沈豐英　杜麗娘的性格內蘊與舞臺呈現

　　　　　　中國戲劇　2008年第6期　頁46-47　2008年

1476 謝雍君　杜麗娘的婚姻追求與明清女性情愛教育

　　　　　　戲劇藝術　2008年第3期　頁65-73　2008年

1477 黃初晨　杜麗娘飄然歸故里

　　　　　　撫州日報　2008年12月25日　第1版

1478 王　松　關於杜麗娘

　　　　　　山花　2008年第14期　頁24　2008年

1479 郭　燕　以馬斯洛需要層次理論分析杜麗娘「天然人」形象

安徽文學（下半月）　2009年第2期　頁29　2009年

1480 曾秀芳　春心滿園關不住——《牡丹亭》中杜麗娘形象再探

四川戲劇　2009年第4期　頁93-95　2009年

1481 于　艷　杜麗娘的「佛洛伊德透視」

現代語文（文學研究版）　2009年第7期　頁48-49
2009年

1482 肖大平　杜麗娘形象與「以花寫人」傳統

大眾文藝（理論）　2009年第19期　頁143-144　2009
年

1483 姜婷婷　從「慕色還魂」到「生死以情」——論杜麗娘形象的發展

德州學院學報　2010年第1期　頁20-23　2010年2月

1484 吳守斌　上古情懷的演繹——對杜麗娘情感世界探微

蘭州學刊　2010年第2期　頁174-176　2010年

1485 駱　珞　但是相思莫相負　牡丹亭上三生路——評昆劇《牡丹亭》
中的杜麗娘

金秋　2010年第4期　頁30-31　2010年

1486 楊　芍　杜麗娘形象的現代性分析

學理論　2010年第25期　頁181-182　2010年

1487 劉小祺　淺析杜麗娘對性愛女神原型之超越

安慶師範學院學報（社會科學版）　2010年第10月
頁82-85　2010年10月

1488 張文婧　論杜麗娘的女性意識

文學界（理論版）　2010年第10期　頁102　2010年

1489 劉　娜　如醉如癡演麗娘

藝海　2010年第8期　頁39　2010年

1490 劉艷芬　別一種悲劇——從杜麗娘的情感突圍說開去
　　　　　　現代語文（文學研究）　2010年第8期　頁126-127
　　　　　　2010年

1491 陳　蓉　試論杜麗娘的「至情」形象
　　　　　　大眾文藝　2010年第22期　頁94　2010年

1492 武　芳　世間只有情難訴——《牡丹亭》艷情描寫對杜麗娘形象刻
　　　　　　畫之影響
　　　　　　太原師範學院學報（社會科學版）　2010年第6期
　　　　　　頁75-78　2010年

1493 陳　軻　覺醒的女性——《牡丹亭》中杜麗娘形象分析
　　　　　　才智　2011年第3期　頁218-219　2011年

1494 孔文嶢　情之所至，生死由他——試論《牡丹亭》中杜麗娘的人物
　　　　　　形象
　　　　　　南國紅豆　2011年第2期　頁41-43　2011年

1495 劉　強　一字之差，千里之別——杜麗娘和杜十娘形象之比較
　　　　　　科技信息　2011年第14期　頁553轉頁556　2011年

1496 何英英　湯顯祖《牡丹亭》與昆曲劇本中杜麗娘故事情節比較
　　　　　　現代語文（學術綜合版）　2015年第10期　頁88-90
　　　　　　2015年

1497 楊明貴　精神分析學視域下的杜麗娘之死
　　　　　　天中學刊　2011年第4期　頁57-60　2011年8月

1498 楊明貴　從愛情發生模式看杜麗娘之死的文化意蘊
　　　　　　安康學院學報　2011年第4期　頁55-58　2011年8月

1499 范紅娟　杜麗娘形象變遷和20世紀戲曲文本研究
　　　　　　河南社會科學　2011年第5期　頁130-134　2011年

1500 馬洪波　未逃出「牢籠」的杜麗娘——從女性視角解析杜麗娘形象
　　　　　　美興時代（下）　2011年第11期　頁46-48　2011年

1501 葉明娟　「才」、「情」相媲美——山黛、杜麗娘形象之比較
　　　　　　安徽文學（下半月）　2011年第12期　頁4-5　2011年

1502 劉　嵐　小議《牡丹亭》中杜麗娘的藝術形象
　　　　　　青年文學家　2015年第36期　頁25-25　2015年12月

1503 吳夢雅　《牡丹亭》中杜麗娘形象淺析
　　　　　　文學教育（上）　2011年第12期　頁148　2011年

1504 肖澍娟　試議湯顯祖《牡丹亭》人權思想的表現——杜麗娘形象凸
　　　　　　顯的人權思想
　　　　　　課程教育研究　2012年第7期　頁24　2012年3月

1505 張偉紅　從崔鶯鶯、杜麗娘、李香君看元明清文學女性覺醒歷程
　　　　　　才智　2015年第25期　頁307-307　2015年10月

1506 熊賢勇　基於魂去——魂歸模式下的女性心態分析——以杜麗娘為
　　　　　　個案研究
　　　　　　喀什師範學院學報　2012年第2期　頁74-77　2012年
　　　　　　3月

1507 陳　姝　可愛又叛逆的閨塾小姐——《牡丹亭》之杜麗娘形象淺析
　　　　　　青春歲月　2012年第12期　頁74　2012年

1508 孫　惠　永不變老的杜麗娘
　　　　　　重慶科技學院學報（社會科學版）　2012年第16期
　　　　　　頁88-90　2012年

1509 趙云彩　叛逆的閨秀：杜麗娘與薛素姐之比較
　　　　　　文學界（理論版）　2012年第9期　頁214-215　2012年

1510 樊小青　《牡丹亭》中杜麗娘人物形象分析
　　　　　　文學界（理論版）　2012年第10期　頁96-97　2012年

1511 尤麗雯　小姑女神的放逐與招魂──從杜麗娘到林黛玉談家國想像
　　　　　的傳承與演變
　　　　　　　　清華中文學報　第12期　頁201-263　2014年12月
1512 聶美琪　《牡丹亭》中春香、杜麗娘形象的「至情」意識探析
　　　　　　　　魅力中國　2014年第18期　頁117　2014年8月
1513 代　珍　淺析杜麗娘兩種活動空間的設置
　　　　　　　　商丘師範學院學報　2014年第1期　頁100-103　2014年
1514 鄒元江　夢即生存：杜麗娘的生存場域
　　　　　　　　藝術百家　2014年第1期　頁184-187　2014年
1515 施彩雲　杜麗娘的矛盾性格：情理的衝突與調和
　　　　　　　　黑龍江生態工程職業學院學報　2014年第3期　頁135-
　　　　　　　　136　2014年
1516 高　傑　試論杜麗娘性格中「情」與「理」的矛盾衝突及其文學意義
　　　　　　　　海南廣播電視大學學報　2014年第1期　頁1-4　2014年
1517 楊翠娟　杜麗娘意象之生命美學闡釋
　　　　　　　　安徽文學（下半月）　2014年第10期　2014年　頁73-
　　　　　　　　74
1518 柏紅秀　書籍閱讀與杜麗娘的人性覺醒
　　　　　　　　藝術百家　2014年第4期　頁220-221　2014年9月
1519 龐　傑　《牡丹亭》中杜麗娘亡于思疾的原因
　　　　　　　　成都師範學院學報　2014年第2期　頁102-105　2014年
1520 臧寶榮　在審美幻象中創造瑰麗的藝術形象──論《牡丹亭》杜麗
　　　　　　娘的藝術形象
　　　　　　　　戲劇叢刊　2014年第4期　頁55-57　2014年9月
1521 劉　文　杜麗娘「複生」模式演變及其美學價值
　　　　　　　　大學教育　2014年第13期　頁124-125　2014年9月

1522　朱方遒　《牡丹亭》新論：杜麗娘的性格重塑與「游」的文化傳統
　　　　　　　東華理工大學學報（社會科學版）　2015年第2期
　　　　　　　頁105-109　2015

1523　王前程　牡丹意象與《牡丹亭》中杜麗娘形象的塑造
　　　　　　　遼東學院學報（社會科學版）　2015年第1期　頁123-
　　　　　　　127　2015年

1524　魯淑霞　從杜麗娘形象看16世紀中國女性的解放
　　　　　　　老區建設　2015年第12期　頁36-38　2015年8月

1525　夏香蓮　從《牡丹亭》前二十齣人物關係淺析杜麗娘人物性格
　　　　　　　科學大眾（科學教育）　2015年第6期　頁167-167
　　　　　　　2015年

1526　陳銘燕　情之所至，生死由他──試論《牡丹亭》中杜麗娘的人物
　　　　　　　形象
　　　　　　　青年文學家　2015年第27期　頁47-47　2015年

1527　孫萌萌　杜麗娘生活的男子世界
　　　　　　　青年文學家　2016年第15期　頁39-39　2016年6月

1528　譚舒尹　淺析《牡丹亭》中杜麗娘的個性生命意識
　　　　　　　北極光　2016年第2期　頁27-27　2016年

1529　孟翔為　從杜麗娘看《牡丹亭》的生命意識
　　　　　　　淮北職業技術學院學報　2016年第4期　2016年　頁
　　　　　　　71-73

1530　孫　妍　論《牡丹亭》中的杜麗娘形象
　　　　　　　青年文學家　2016年第6期　頁70　2016年

1531　夏香蓮　淺析《牡丹亭》中杜麗娘的形象
　　　　　　　語文天地（高中版）　2016年第3期　頁55-56　2016年

1532　張嵐嵐　徘徊「圍城」內外的「柳夢梅」們──明清傳奇對「杜麗

娘」的具體化

西部學刊　2016年第1期　頁25-32　2016年3月

3. 柳夢梅

1533 岳美緹　從司馬相如到柳夢梅

上海戲劇　1999年第10期　頁16-17　1999年

1534 孫秋克　論柳夢梅形象的虛與實

湯顯祖首屆年會論文　浙江遂昌縣　浙江省文化廳主
辦　2001年8月

1535 應曉琴　試論柳夢梅形象之亮點

江西科技師範學院學報　2003年第5期　頁65-67轉頁
123　2003年10月

1536 孫秋克　柳夢梅形象與《牡丹亭》時代命題的完成

昆明師範高等專科學校學報　2003年3期　頁11-14
2003年09月

1537 未署名　柳夢梅：「嶺南才子」的形象

文史知識　2007年3期　2007年

1538 王　榮　也是一個志誠種──談談《牡丹亭》中柳夢梅的性格特徵

文教資料　2008年第13期　頁10-12　2008年5月

1539 田　雯　冷遇的宿命──論《牡丹亭》中柳夢梅形象

名作欣賞　2009年第29期　頁46-48　2009年

1540 吳天寧　解析《牡丹亭》中柳夢梅形象的意義

文教資料　2010年第26期　頁13-15　2010年9月

1541 張　琛　簡論《牡丹亭》中的柳夢梅形象

長江師範學院學報　2011年第3期　頁119-121　2011
年5月

1542 王　贇　柳夢梅形象的一個非典型側面解讀
　　　　　　青春歲月　2011年第10期　頁97　2011年5月

4. 杜寶

1543 任麗惠　一言難盡杜平章──談湯顯祖對杜寶形象的塑造
　　　　　　湖北師範學院學報（哲學社會科學版）　2006年第6
　　　　　　期　頁46-48　2006年

1544 徐燕琳　杜寶的形象與意義
　　　　　　戲劇（中央戲劇學院學報）　2008年第4期　頁90-100
　　　　　　2008年

1545 魏淑珠　《牡丹亭》中杜寶的角色分析
　　　　　　戲曲研究　2008年第2期　頁126-148　2008年

1546 王　濤　《牡丹亭》杜寶形象重析
　　　　　　寶雞文理學院學報（社會科學版）　2009年第1期
　　　　　　頁109-112　2009年2月

1547 梁瑜霞　從戲劇結構看《牡丹亭》杜寶形象的複雜性
　　　　　　江蘇大學學報（社會科學版）　2009年第6期　頁57-
　　　　　　60　2009年11月

1548 陳慧穎　《牡丹亭》中杜寶形象芻議
　　　　　　華中人文論叢　2010年第1期　頁151-153　2010年6月

1549 馬　迪　再議《牡丹亭》中的杜寶形象
　　　　　　大眾文藝　2010年第24期　頁178　2010年

1550 魏　會　《牡丹亭》中杜寶形象分析
　　　　　　中國科教創新導刊　2012年第16期　頁87　2012年

5. 陳最良

1551 葉樹發　也說陳最良

　　　　　　阜陽師範學院學報（哲學社會科學版）　2002年第3
　　　　　　期　頁42-44　2002年

1552 胡冠瑩　腐儒不腐——談《牡丹亭》中的陳最良

　　　　　　廣西師範學院學報（哲學社會科學版）　2004年第1
　　　　　　期　頁51-53　2004年1月

1553 李春芳　《牡丹亭》中陳最良用「詩」例解

　　　　　　名作欣賞　2011年第23期　頁150-152　2011年

1554 黃曉明　細說《閨塾》中的陳最良

　　　　　　中學語文園地（高中版）　2008年第6期　頁18-19
　　　　　　2008年

1555 金玉錦　《牡丹亭》 나타난　士人의　腐敗的인　形象　諷刺：
　　　　　　陳最良을　중심으로（《牡丹亭》出現的諷刺腐敗士人形
　　　　　　象研究：以陳最良為中心）

　　　　　　中國人文科學　第40卷　頁411-433　2008年

1556 姚昌炳　論陳最良在《牡丹亭》中的結構功能

　　　　　　牡丹江教育學院學報　2008年第5期　頁7-8　2008年

1557 戴元枝　尷尬人逢尷尬事——《牡丹亭·閨塾》中的陳最良

　　　　　　閱讀與寫作　2004年第3期　頁21-22　2004年

6. 春香

1558 梁　斌　紅花豈能無綠葉——《西廂記》紅娘與《牡丹亭》春香比較

　　　　　　青年文學家　2014年第21期　頁56-56　2014年9月

1559 陳小梅　簡論《牡丹亭》中春香的存在意義

長江師範學院學報　2012年第5期　頁136-138　2012
年5月

1560 王利娜　簡論春香在《牡丹亭》中的性格特點及地位
濮陽職業技術學院學報　2012年第2期　頁81-82
2012年

1561 李　艷　論《牡丹亭》中春香的形象特徵
大舞臺　2012年第11期　頁25-26　2012年

1562 李彩霞　綻放在理學藩籬外的一株純淨之花——《牡丹亭》春香形
象文化探析
鄂州大學學報　2007年第6期　頁54-56　2007年11月

7. 石道姑

1563 沈　敏　《牡丹亭》石道姑形象芻議
中國文化報　2000年6月15日　第3版

1564 沈　敏　《牡丹亭》石道姑形象簡論
戲劇　2002年第1期　頁94-98　2002年

1565 金玉錦　《牡丹亭》에　나타난　石道姑의　（《牡丹亭》中石道
姑的人物形象）
韓國　全羅北道全北大學中語中文學碩士論文　2007年

1566 楊惠娟　《牡丹亭》人物——石道姑
中國語文　第108卷第2期　頁73-86　2011年2月

1567 王　鸝　《牡丹亭》中石道姑人物形象意義探析
藝術百家　2014年第1期　頁250-252　2014年

8. 其他

1568 姜姈妹　湯顯祖《牡丹亭》에　나타난　「花神」의　意味와　象徵
　　　　　　性　고찰（湯顯祖《牡丹亭》中「花神」的意義與象徵性
　　　　　　考察）
　　　　　　　　中國語文學論集　第12期　頁311-330　1999年
1569 朱莉麗　李全形象及其在《牡丹亭》中的作用
　　　　　　　　邊疆經濟與文化　2010年第4期　頁119-121　2010年
1570 李思涯　《牡丹亭》內外的腐儒世界
　　　　　　　　中國文化　2015年第1期　頁201-210　2015年7月

（九）名物研究

1571 蔣星煜　《牡丹亭》茶文化含蘊之探索
　　　　　　　　中華戲曲　第26輯　頁154-169　北京市　文化藝術出
　　　　　　　　版社　2002年

（十）札記

1572 蔡正仁　《牡丹亭》情緣
　　　　　　　　上海戲劇　1999年10期　頁12-13　1999年
1573 徐幸捷　《牡丹亭》百家談
　　　　　　　　上海戲劇　1999年10期　頁14-15　1999年
1574 朱達藝　淺說《牡丹亭》中的遂昌地方色彩
　　　　　　　　戲文　2001年第5期　頁22-24　2001年
1575 周建華　光照臨川筆　春分瘐嶺梅——解讀古南安「牡丹亭」的遺跡
　　　　　　　　撫州師專學報　2003年第4期　頁23-25　2003年12月

1576 查振科　在南昌看《牡丹亭》

　　　　　　　創作評譚　2004年第2期　頁60-61　2004年

1577 倫毅杰　《牡丹亭》觀感

　　　　　　　音樂周報　2004年11月19日　第5版

1578 葉　慧　大余:「牡丹亭經濟」紅紅火火

　　　　　　　麗水日報　2005年4月24日　無版號

1579 周　秦　《牡丹亭》與蘇州

　　　　　　　湯顯祖研究通訊　2005年第1期　杭州　中國戲曲會

　　　　　　　湯顯祖研究會　2005年

1580 王　強　關於《牡丹亭》的幾點疑問

　　　　　　　中國戲劇　2007年第10期　頁33-35　2007年

1581 樂　風　文化巨人,不朽名作——寫在湯顯祖創作《牡丹亭》410
　　　　　　周年紀念前夕

　　　　　　　南方文物　2007年第4期　頁175-176　2007年

1582 寧宗一　重新接上傳統的慧命——說不盡的《牡丹亭》及其他

　　　　　　　文史知識　2007年第11期　頁4-12　2007年

1583 朱育新　憶先賢湯顯祖及其不朽名著《牡丹亭》

　　　　　　　臺浙天地　第9卷　頁46-47　2008年6月

1584 葉　蔚　《牡丹亭》人鬼情未了

　　　　　　　風景名勝　2008年第2期　頁66-69　2008年

1585 趙海遠　《牡丹亭》與南安勝景

　　　　　　　審計與理財　2008年第8期　頁61　2008年

1586 周育德　《牡丹亭》的戲外話

　　　　　　　戲劇文學　2008年第7期　頁36-40轉頁62　2008年

1587 鐘　鳴　牡丹亭:「非正常死亡」

　　　　　　　博覽群書　2008年第12期　頁112-118　2008年

（十一）比較研究

1588 夏丏時　《牡丹亭》的新一頁
　　　　　　　上海文化報　1999年9月24日

1589 金　湘　譚盾，我在《牡丹亭》等到了你！
　　　　　　　人民音樂　1999年第1期　頁16-19　1999年

1590 盧　煒　《牡丹》還魂，驚艷學府──青春版《牡丹亭》研討會綜述
　　　　　　　中國戲劇研究網　Http://www.xiju.net

1591 張靜秋　一曲生命美學的頌歌──話本《杜麗娘慕色還魂》和傳奇
　　　　　　　《牡丹亭還魂記》比較
　　　　　　　漳州師範學院學報（哲學社會科學版）　2004年第4
　　　　　　　期　頁34-39　2004年

1592 薛　梅　細微變化，突顯主題──談談《杜麗娘慕色還魂》與《牡
　　　　　　　丹亭》中柳夢梅形象的幾點差異
　　　　　　　安康師專學報　2005年第4期　頁64-66　2005年8月

1593 孟梅軍　文魔秀士、風欠酸丁與獻世寶──張生與柳夢梅形象比較
　　　　　　　教育藝術　2005年第9期　頁54　2005年

1594 寧宗一　愛情社會學與愛情哲學──《西廂記》、《牡丹亭》之異同
　　　　　　　與青春版《牡丹亭》之貢獻
　　　　　　　中華戲曲　2005年第2期　頁312-328　2005年
　　　　　　　華文文學　2005年第6期　頁20-27　2005年

1595 孫艷麗　《牡丹亭》與《羅密歐與朱麗葉》之異同
　　　　　　　大舞臺　2006年第3期　頁20-21　2006年

1596 陳月蓮　《牡丹亭》比較研究
　　　　　　　臺北市　銘傳大學應用中國文學系研究所碩士論文
　　　　　　　2008年

1597 楊淑英　從文本到舞臺──《茶館》和《牡丹亭》的時空比較
　　　　　　　大眾文藝　2010年第18期　頁136　2010年
1598 曾　瑩　《春陽曲》與《牡丹亭》──兼論聲詩與戲曲之間的關聯
　　　　　　　性問題
　　　　　　　文化遺產　2014年第6期　頁53-60　2014年

1. 與元雜劇

1599 姜妗妹　湯顯祖《牡丹亭》의助役春香의役割과劇的構成考察：
　　　　　　　《西廂記》·《페드르》와의대비를중심으로（湯顯祖《牡
　　　　　　　丹亭》中配角春香在劇中的角色作用對戲劇構成之考察：
　　　　　　　以《西廂記》與《菲爾德（Phédre）》的比較為中心）
　　　　　　　中國戲曲　第7卷第1期　頁105-132　1999年
1600 耿光華　「至情」超逸傳統意識的叛逆女性──《西廂記》與《牡
　　　　　　　丹亭》之比較
　　　　　　　張家口師專學報　2003年第2期　頁26-32　2003年
1601 韓秀玲　試比較《西廂記》與《牡丹亭》
　　　　　　　承德民族師專學報　2006年第3期　頁44-45　2006年8月
1602 孫少穎　郵票雙曲──西廂記與牡丹亭
　　　　　　　集郵博覽　2006年第11期　2006年
1603 王萬鵬　《西廂記》與《牡丹亭》愛情描寫之比較
　　　　　　　社科縱橫　2006年第12期　頁97-98　2006年12月
1604 韓　彬　愛欲與「文明」的衝突──《牡丹亭》與《西廂記》主題
　　　　　　　思想之比較
　　　　　　　宿州教育學院學報　2007年第4期　頁107-108　2007
　　　　　　　年8月

1605 藺九章　魂靈的超越與還原——《倩女幽魂》與《牡丹亭》解讀
　　　　　　　黔南民族師範學院學報　2007年第5期　頁17-21
　　　　　　　2007年

1606 歐俊勇　在「夢」與「魂」之間——《倩女離魂》和《牡丹亭》比
　　　　　　較研究
　　　　　　　東華理工學院學報（社會科學版）　2007年第3期
　　　　　　　頁206-210　2007年9月

1607 梁素芳　《西廂記》、《牡丹亭》愛情描寫之比較
　　　　　　　河南農業　2008年第20期　頁55轉頁60　2008年10月

1608 孫巖龍　比較《西廂記》與《牡丹亭》反封合作的異同
　　　　　　　現代語文（文學研究版）　2009年第1期　頁61-62
　　　　　　　2009年

1609 劉艷琴　人性美與人情美——《西廂記》與《牡丹亭》之比較
　　　　　　　作家　2009年第12期　頁115　2009年

1610 陳心哲　從自我的無視到人性的追求——《西廂記》與《牡丹亭》
　　　　　　夢境對比
　　　　　　　當代小說（下）　2010年8期　頁38-39　2010年

1611 王楠楠　《西廂記》、《牡丹亭》之比較
　　　　　　　中國科教創新導刊　2012年第29期　頁80　2012年

1612 杜　萱　女性意識覺醒之比照分析——《西廂記》與《牡丹亭》女
　　　　　　性意識解讀牡丹江大學學報　2014年第1期　頁27-28
　　　　　　轉頁35　2014年

1613 張天慧　《牡丹亭》與《西廂記》才子佳人形象探異
　　　　　　　科學時代　2014年第6期　頁x-y　2014年6月

1614 王磊平　《西廂記》與《牡丹亭》色彩各異的人物形象比較
　　　　　　　青年文學家　2014年第26期　頁54-56　2014年9月

1615 劉洪祥　《西廂記》與《牡丹亭》主題之比較
　　　　　　文學教育（上）　2015年第3期　頁56-57　2015年5月
1616 楊　慧　《西廂記》與《牡丹亭》之比較閱讀
　　　　　　語文世界（教師之窗）　2016年第5期　頁59-60
　　　　　　2016年6月
1617 簡銘池　《西廂記》和《牡丹亭》之愛情比較
　　　　　　戲劇之家　2016年第5期　頁60　2016年6月

2. 與明代作品

1618 Roy, David T.　"The Case for T'ang Hsien-tsu's Authorship of the *Jin Ping Mei*," *Chinese Literature: Essays, Articles, Reviews* (CLEAR), Vol.8, No. 1/2 (Jul. ,1986): 31-62.
1619 章　芳　青出於藍而勝於藍——《杜麗娘慕色還魂》與《牡丹亭》之比較
　　　　　　戲劇文學　2009年第12期　頁73-76　2009年
1620 李　丹　《牡丹亭》和《風流夢》比較
　　　　　　荷澤學院學報　2010年第1期　頁100-103　2010年1月
1621 張宏生　詞與曲的分與合——以明清之際詞壇與《牡丹亭》的關係為例
　　　　　　武漢大學學報（人文科學版）　2011年第1期　頁51-59　2011年1月
1622 李春艷　孟稱舜《嬌紅記》真情的內涵——與《牡丹亭》之比較
　　　　　　呂梁學院學報　2011年第5期　頁1-3　2012年10月
1623 丁雪松　《紅梅記》與《牡丹亭》的「鬼神」形象比較研究
　　　　　　黑龍江教育學院學報　2014年第6期　頁132-134　2014年7月

1624 王　向　《牡丹亭》與《金瓶梅》的情欲之欲初探
　　　　　南昌市　南昌大學文藝學碩士論文　2014年

3. 與清代作品

1625 Lu, Tina. "*Persons, personae, personages: Identity in Mudan ting and Taohua shan.*" PhD diss.Cambridge.Ma: Harvard University, 1998.

1626 Lu, Tina. "*Persons, Roles and Minds: Identity in Peony Pavilion and Peach Blossom Fan.*" Stanford: Stanford University Press, 2001.

1627 呂立亭著；白華山譯　人物、角色與心靈：《牡丹亭》與《桃花扇》中的身份認同
　　　　　南京市　江蘇人民出版社　2014年

1628 Lo Andrew　*Persons, Roles, and Minds: Identities in Peony Pavilion and Peach Blossom Fan,*
　　　　　Bulletin of the School of Oriental and African Studies, 2003, pp.301-302.

1629 Strassberg Richard E　"*Persons, Roles, and Minds: Identities in Peony Pavilion and Peach Blossom Fan,*"
　　　　　The Journal of Asian Studies, 1, 2003, p.254

1630 曹南山　海外中國戲劇研究之眩惑——呂立亭〈人物、角色與心靈：《牡丹亭》與《桃花扇》中的身份認同〉批判
　　　　　文藝研究　2016年第7期　頁153-160　2016年

1631 Mackerras, Colin. "*The Imperial Granary Production of Mudan Ting (The Peony Pavilion).*" *Chinoperl Papers* No.29 (2010): 209-206.

1632 森中美樹　《還魂記》との比較より見た《紅樓夢》の梅花の役割
　　　　　　　　中國中世文學研究　第45、46輯　頁325-338　2004年
　　　　　　　　10月

1633 Li, Wai-yee.　*"Languages of Love andParameters of Culture in Peony Pavilion and The Story of the Stone,"* In Halvor Eifring, ed., *Love and Emotions in Traditional Chinese Literature.* Leiden: E. J. Brill, 2004, pp.237-70.

1634 劉夢溪　《牡丹亭》與《紅樓夢》
　　　　　　　　中華讀書報　2004年7月21日　無版號

1635 劉夢溪　《牡丹亭》與《紅樓夢》──他們怎樣寫「情」
　　　　　　　　湯顯祖與牡丹亭（下）　頁655-670　華瑋主編　臺北
　　　　　　　　市　中央研究院中國文哲研究所　2005年12月

1636 林柳生　《牡丹亭》和《紅樓夢》中情與理的比較研究
　　　　　　　　南昌教育學院學報　2005年第4期　頁22-28　2005年

1637 林宗毅　〔（明）湯顯祖著〕《牡丹亭》與〔（清）洪昇著〕《長生殿》密碼試探
　　　　　　　　戲曲研究通訊　第4卷　頁176-181　2007年1月

1638 鄭尚憲　激越的浪漫　淒美的感傷──《牡丹亭》和《長生殿》「情至」理想比較
　　　　　　　　東南大學學報（哲學社會科學版）　2007年第5期
　　　　　　　　頁118-123轉頁128　2007年9月

1639 董　雁　《長生殿》：一部鬧熱的《牡丹亭》──《長生殿》與《牡丹亭》「至情」文化主題比較
　　　　　　　　陝西師範大學繼續教育學報　2007年第3期　頁48-72
　　　　　　　　2007年9月

1640 胡　珂　從「以情為本」角度看《牡丹亭》和《長生殿》的共性與
　　　　　　差異
　　　　　　　　　楚雄師範學院學報　2007年第10期　頁15-20　2007年
　　　　　　　　　10月

1641 王應龍　從杜麗娘與林黛玉之差異看作家創作心態
　　　　　　　　　電影評介　2008年第23期　頁110-111　2008年

1642 裴雪萊　明清二夢，異曲同工──從《牡丹亭》到《紅樓夢》
　　　　　　　　　山花　2011年第6期　頁128-129　2011年

1643 龐婧綺　論《療妒羹》傳奇之構思缺陷──兼與《牡丹亭》和《春
　　　　　　波影》作比較
　　　　　　　　　蘇州科技學院學報（社會科學版）　2011年第2期
　　　　　　　　　頁67-70　2011年3月

1644 李　碧　《牡丹亭》與《臨川夢》比較論
　　　　　　　　　文學界（理論版）　2012年第2期　頁204-205　2012年

1645 徐宏圖　「還魂」幾多，《牡丹》獨秀──明清「還魂型」戲劇比較
　　　　　　　　　浙江藝術職業學院學報　2012年第2期　頁18-23
　　　　　　　　　2012年

1646 氏岡真士　〈牡丹灯記〉と《牡丹亭》
　　　　　　　　　長野縣　信州大学人文学部　2015年

1647 漆　瑤　《牡丹亭》與《長生殿》比較──芻議「鬧熱《牡丹
　　　　　　亭》」一說
　　　　　　　　　長春教育學院學報　2016年第6期　頁30-33　2016年
　　　　　　　　　7月

1648 黃桂娥　清代戲曲論爭中的湯顯祖
　　　　　　　　　藝術評論　2016年第8期　頁32-37　2016年

4. 與現代作品

1649 楊韻迪　湯顯祖《牡丹亭》和白先勇青春版《牡丹亭》中愛情唱詞
　　　　　　的文體比較
　　　　　　　上海市　上海外國語大學碩士論文　2014年
1650 錢　穎　湯顯祖《牡丹亭》與「青春版」比較研究
　　　　　　　名作欣賞　2015年第9期　頁44-46轉頁84　2015年
1651 何英英　湯顯祖《牡丹亭》與昆曲劇本中杜麗娘故事情節比較
　　　　　　　現代語文　2015卷28期　頁88-90　2015年

5. 與外國作品

1652 Wang, I-Chun.　"*Dream and Drama in late Sixteenth Century and Early Seventeenth Century China, England, and Spain theater.*" PhD diss.Urbana University of Illinois at Urbana-Champaign, 1986.

1653 Birch, Cyril.　"A Comparative View of Dramatic Romance: *The Winter's Tale* and The *Peony Pavilion,*" In Roger T. Ames, et al. eds. *Interpreting Culture through Translation.* Hong Kong: The Chinese University Press, 1991, pp.55-77.

1654 Zhai-Liming　*Romeo and Juliet and The Peony Pavilion*（羅密歐與茱麗葉和牡丹亭）
　　　　　　　德克薩斯州　德州大學畢業論文　1996年

1655 羅洪啟　脆弱的純粹——杜麗娘與茱麗葉愛情之比較
　　　　　　中國戲劇研究網　Http://www.xiju.net

1656 李秀娟　The Underside of "Talent and Beauty": The Representation of Women in the Peony Pavilion and "An Encounter with an

Immortal,"

師大學報（人文與社會科學類）　第46卷第1、2期

頁31-49　2001年10月

1657 李聶海　論《牡丹亭》《仲夏夜之夢》的情與理矛盾

廣東社會科學　2001年第4期　頁90-95　2001年

1658 姚躍龍　莎士比亞與湯顯祖筆下的「夢幻」

藝海　2002年第2期　頁34-36　2002年

1659 駱　蔓　論兩個「夢」意象構成的浪漫劇及其象徵追求——《牡丹亭》與《仲夏夜之夢》比較

浙江藝術職業學院學報　2003年第3期　頁16-21 2003年9月

1660 孫文霞　《羅密歐與朱麗葉》與《牡丹亭》文化要義比較

泰安教育學院學報　岱宗學刊　2003年第3期　頁48-50　2003年9月

1661 李志忠　死而復生與生而復死——《牡丹亭》與《羅密歐與茱麗葉》的愛情結局比較

福建廣播電視大學學報　2003年第4期　頁12-15 2003年

1662 凌建英　生命的禮讚　愛情的頌歌——《羅密歐與茱麗葉》與《牡丹亭》

大海洋詩雜誌　第70卷　頁92-94　2004年12月

1663 王茂恒　人文主義的交響絕唱——《牡丹亭》、《羅密歐與朱麗葉》對讀

中學語文　2004年第3期　頁31-33　2004年

1664 鄒自振　麗娘何如朱麗葉，不讓莎翁有故村——《牡丹亭》與《羅密歐與朱麗葉》之比較

福州大學學報（哲學社會科學版） 2005年第4期
頁63-69

英語研究 2005年第3期 頁79-85 2005年9月

1665 喬　麗 《牡丹亭》與《羅密歐與茱麗葉》戲劇衝突之比較
藝術百家 2005年第3期 2005年

1666 張　林 愛情之道 止于至善──賞心樂事《牡丹亭》與悲情傷懷
《羅密歐與朱麗葉》之比較
成都教育學院學報 2006年第6期 頁83-85 2006年

1667 姚文振 《牡丹亭》和《羅密歐與朱麗葉》之愛情比較
社科縱橫 2006年第6期 頁89-90 2006年

1668 鄭維萍 《牡丹亭》與《羅密歐與朱麗葉》戲劇衝突之比較
中州學刊 2006年第4期 頁229-231 2006年

1669 張　磊 解析夢幻愛情世界中的情與理矛盾──《牡丹亭》與《仲
夏夜之夢》的比較
遼寧行政學院學報 2006年第11期 頁177-180 2006
年

1670 陳小琴 時代精神的頌歌──《羅密歐與朱麗葉》和《牡丹亭》比
較談
學語文 2006年第6期 頁14 2006年

1671 王冠穎 從《牡丹亭》和《羅密歐與朱麗葉》的愛情結局看中西民
族文化審美心理的差異
時代文學（雙月版） 2007年第2期 頁240 2007年

1672 高　旭 戲劇中的黑暗精靈──論《哈姆雷特》與《牡丹亭》的鬼
魂戲
攀枝花學院學報 2007年第4期 頁51-55 2007年8月

1673 劉錢鳳 慾望的舒緩 人性的張揚──《牡丹亭》和《麥克白》兩

劇主題比較研究

四川戲劇　2008年第5期　頁40-43　2008年

1674 楊　麗　情醉夢中來　情碎夢中去──從杜麗娘和朱麗葉看湯氏和莎氏的愛情觀

名作欣賞　2008年第22期　頁82-85　2008年

1675 郗慧娟　從悲劇的角度比較研究《羅密歐與朱麗葉》和《牡丹亭》

時代文學（下半月）　2008年第7期　頁144-145　2008年

1676 劉　慧　戲劇《牡丹亭》和《羅密歐與朱麗葉》比較研究

作家　2009年第2期　頁72　2009年

1677 計　晗　《羅密歐與朱麗葉》與《牡丹亭》之比較

南昌教育學院學報　2009年第3期　頁28-30　2009年

1678 季雪冰　癡情與延宕──從《牡丹亭》《哈姆雷特》看東西方文化差異

現代語文（文學研究版）　2009年第9期　頁141-143　2009年

1679 孫慧娟　析《牡丹亭》與《仲夏夜之夢》的異同

語文學刊（外語教育與教學）　2009年第6期　頁78-79　2009年

1680 藍　凡　宗教生命：作為莎士比亞歷史「他者」參照的湯顯祖──杜麗娘與朱麗葉的性愛世界

戲曲研究　2010年第2期　頁21-30　2010年

1681 楊深林　《牡丹亭》與《羅密歐與朱麗葉》語言特點之比較研究

東華理工大學學報（社會科學版）　2010年第4期　頁306-314　2010年12月

1682 崔衛成　《牡丹亭》和《仲夏夜之夢》的共性探析

電影評介　2010年第5期　頁109-110　2010年

1683 佟　迅　《牡丹亭》、《羅密歐與朱麗葉》悲劇美學特徵之比較
　　　　　　電影評介　2010年第12期　頁103-104轉頁108　2010年

1684 段翆卉　人文思想關照下的湯莎女性題材作品──《牡丹亭》與
　　　　　　《羅密歐與朱麗葉》之比較
　　　　　　時代文學（下半月）　2010年第9期　頁180-181
　　　　　　2010年

1685 樂麗霞　人文思想關照下的艱難愛情──《牡丹亭》與《羅密歐與
　　　　　　朱麗葉》之比較
　　　　　　時代教育（教育教學）　2011年第6期　頁139-145
　　　　　　2011年6月

1686 劉　昶　《牡丹亭》與《哈姆萊特》之魂形象探析
　　　　　　貴州文史叢刊　2011年第3期　頁105-108　2011年

1687 陳志萍　《羅密歐與朱麗葉》與《牡丹亭》開場詩和退場詩之比較
　　　　　　鄭州輕工業學院學報（社會科學版）　2011年第5期
　　　　　　頁116-119　2011年10月

1688 喬　慧　從《牡丹亭》與《羅密歐與茱麗葉》看中西戲劇衝突
　　　　　　劍南文學（經典教院）　2012年第8期　頁160　2012年

1689 周園園　從《羅密歐與茱麗葉》與《牡丹亭》看中西生死觀
　　　　　　太原師範學院學報（社會科學版）　2012年第6期
　　　　　　頁86-88　2012年11月

1690 張玉靜　一種愛情　兩樣傷悲──杜麗娘與茱麗葉的愛情悲劇對比
　　　　　　北方工業大學學報　2012年第4期　頁46-49　2012年
　　　　　　12月

1691 歐愛萍　兩部中西愛情絕唱──《牡丹亭》和《羅密歐與茱麗葉》
　　　　　　之比較
　　　　　　文教資料　2012年第30期　頁7-8　2012年10月

1692 樂麗霞　委婉的杜麗娘與奔放的茱麗葉
　　　　　　　科技風　2012年第23期　頁168　2012年12月
1693 李　歡　中西文化互觀下的《牡丹亭》與《羅密歐與朱麗葉》
　　　　　　　長沙市　湖南師範大學中國古代文學碩士論文　2012年
1694 李歡生　生而復死與死而後生──茱麗葉與杜麗娘愛情的文化思考
　　　　　　　藝海　2014年第2期　頁47-48　2014年
1695 丁　旺　悲愴與傷懷──《牡丹亭》與《羅密歐與茱麗葉》悲劇因
　　　　　　　素之比較
　　　　　　　魅力中國　2014年第23期　頁105-105　2014年
1696 馮王璽　莎士比亞與湯顯祖作品夢幻背後的能指和所指之比較──
　　　　　　　以《仲夏夜之夢》與《牡丹亭》為例
　　　　　　　大眾文藝　2014年第2期　頁39-40　2014年
1697 張　帆　《牡丹亭》與《哈姆雷特》鬼魂形象比較
　　　　　　　大眾文藝　2014年第21期　頁33-34　2014年
1698 李　丹　中西文化互觀下的《牡丹亭》與《羅密歐與茱麗葉》
　　　　　　　內蒙古師範大學學報（哲學社會科學版）　2014年第
　　　　　　　4期　頁117-120　2014年
1699 張　露　論《羅密歐與茱麗葉》與《牡丹亭》「情趣理」的衝突
　　　　　　　重慶市　重慶師範大學中國古代文學碩士論文　2014年
1700 金小鈺　《牡丹亭》與《羅密歐與茱麗葉》
　　　　　　　青年文學家　2015年第3期　頁41　2015年3月
1701 郭志清　文化差異視閾下的《羅密歐與茱麗葉》和《牡丹亭》
　　　　　　　高考　2015年第7期　2015年8月　頁133-134
1702 楊智華　《牡丹亭》與《羅密歐與茱麗葉》的悲劇美學特徵
　　　　　　　文學教育（下）　2015年第8期　2015年　頁17-17

1703 張　芳　中西愛情之比較──以《牡丹亭》和《羅密歐與茱麗葉》
　　　　　　　為例
　　　　　　　　　　文藝生活・文海藝苑　2015年第8期　頁12-12　2015年
1704 孔亞楠　《牡丹亭》與《羅密歐與茱麗葉》中關於「還魂」的比較
　　　　　　　　　　當代教育理論與實踐　2016年第3期　2016年　頁176-
　　　　　　　　　　178
1705 池　潔　兩部為情而魂的曠世傑作：湯顯祖《牡丹亭》與格魯克
　　　　　　　《奧菲歐與尤力狄茜》之比較
　　　　　　　　　　上海師範大學學報（社科版）　2002年第3期　頁68-
　　　　　　　　　　73　2002年
1706 全　文　比較《美狄亞》與《牡丹亭》的結構藝術與反叛敘事
　　　　　　　　　　北方文學（下旬刊）　2014年第4期　頁94-95　2014
　　　　　　　　　　年7月
1707 蔣銳航　呼嘯而過的中國情結──《呼嘯山莊》與《牡丹亭》比較談
　　　　　　　　　　黑龍江科技信息　2010年第34期　頁249　2010年
1708 王　云　《牡丹亭》中的皮革瑪利翁祈求
　　　　　　　　　　戲劇藝術　2010年第6期　頁51-59　2010年
1709 畢益芳　湯顯祖《牡丹亭》和蒙特威爾第《奧菲歐》的比較研究
　　　　　　　　　　濟南市　山東大學中國古代史碩士論文　2009年

（十二）改編劇本

1. 總論

1710 顧曉鳴　《牡丹亭》的現代性及其改編
　　　　　　　　　　文學報　1999年9月30日

1711 王秀鳳　「贛劇」模式與《還魂後記》
　　　　　中國戲劇場（網路戲劇雜誌）　2001年10月20日

1712 Tang-Xianzu, Chen-Shizheng　The Peony Pavilion
　　　　　Distributed Exclusively by Image Entertainment, 2001

1713 Rolston, David.　"Tradition and Innovation in Chen Shi-Zheng's Peony
　　　　　Pavilion," *Asian Theatre Journal* 19, no.1 (2002): 134-
　　　　　146.

1714 陳大偉　陳士爭版《牡丹亭》的傳統與革新
　　　　　英語世界的湯顯祖研究論著選譯　頁275-286　徐永
　　　　　明、陳蘪沅主編　杭州市　浙江古籍出版社　2013年
　　　　　3月

1715 季國平　「不到園林，怎知春色如許」諸版《牡丹亭》雜記
　　　　　中國戲劇　2006年第4期　頁62　2006年

1716 Littlejohn David　"Peter Sellars's Version of Opera Chinese Suppressed,"
　　　　　Wall Street Journal (Eastern Edition), Mar. 16, 1999.

1717 Jain Susan Pertel　"Contemplating Peonies: A Symposium on Three
　　　　　Productions of Tang Xianzu's Peony Pavilion,"
　　　　　Asian Theatre Journal, Spring 2002

1718 蔡孟珍　湯顯祖「拗折天下人嗓子」質疑——兼談《牡丹亭》的腔
　　　　　調問題
　　　　　曲學探賾　頁129-194　2003年1月

1719 王省民　改編在戲劇傳播中的價值——從湯顯祖對《牡丹亭》改本
　　　　　的批評談起
　　　　　四川戲劇　2007年第5期　頁20-22　2007年

1720 鄧紹基　由《牡丹亭》的傳播看戲曲改編與演劇通例
　　　　　社會科學輯刊　2009年第1期　頁172-175　2009年

1721　郭英德　　點鐵成金：湯顯祖《牡丹亭》傳奇的改寫策略及其文化意蘊
　　　　　　　　政大中文學報　第14卷　頁1-26　2010年12月

1722　鄒自振　　《牡丹亭》出評
　　　　　　　　（上）　閩江學院學報　2012年第3期　頁101-110
　　　　　　　　2012年5月
　　　　　　　　（下）　閩江學院學報　2012年第4期　頁64-76
　　　　　　　　2012年7月

2. 明代改本

1723　Swatek, Catherine.　"Plum and Portrait: Feng Meng-lung's Revision of
　　　　　　　　The *Peony Pavilion.*" *Asia Major*, Third Series 6.1
　　　　　　　　(1993):127-60.

1724　根ヶ山徹　馮夢龍「墨憨齋重定三會親風流夢傳奇」における《牡
　　　　　　　　丹亭還魂記》の變改
　　　　　　　　日本中國學會報　第52輯　頁163-178　2000年

1725　趙天為　　論臧懋循改本《還魂記》
　　　　　　　　藝術百家　2002年第3期　頁57-62　2002年

1726　陳富容　　臧懋循批改本《還魂記》之評析
　　　　　　　　逢甲人文社會學報　第4卷　頁99-118　2002年5月

1727　林書萍　　湯顯祖《牡丹亭》及晚明時期改作與仿作之研究
　　　　　　　　臺北市　國立政治大學中國文學研究所碩士論文
　　　　　　　　2005年

1728　朱恒夫　　論雕蟲館版臧懋循評改《牡丹亭》
　　　　　　　　戲劇藝術　2006年第3期　頁40-48　2006年

1729　劉紅慶　　夢回明朝——廳堂版《牡丹亭》，復歸明代演劇方式
　　　　　　　　音樂生活　2007年第7期　頁18-27　2007年

1730 胡　穎　試論馮夢龍對《牡丹亭》的改編

　　　　　　　名作欣賞　2007年第20期　頁32-34　2007年

1731 陳慧珍　臧懋循改編評點《還魂記》呈現之曲學批評及其意義

　　　　　　　戲曲學報　第2卷　頁19-53　2007年12月

1732 季翠霞　馮夢龍對《牡丹亭》《邯鄲夢》的改編

　　　　　　　四川戲劇　2009年第6期　頁93-94　2009年

1733 王思任　王思任批評本：《牡丹亭》

　　　　　　　北京市　中國戲劇出版社　2011年

3. 清代改本

1734 Zeitlin, Judith t.　"Shared Dreams: The Story of the Three Wives'
　　　　　　　Commentary on The Peony Pavilion," *Harvard Journal* of
　　　　　　　Asiatic Studies, Vol.54, No.1 (Jun., 1994), pp.127-179.

1735 Chen, Jingmei　*The Dream World of Love-sick Maidens: A Study of
　　　　　　　Women's Responses to The Peony Pavilion*
　　　　　　　University of California, Los Angeles, 1996, P210

1736 區文鳳　有情則生　無情則死——從《牡丹亭》改編試論「情至
　　　　　　　觀」對唐滌生的啟發和影響
　　　　　　　南國紅豆　1997年第5期　頁23-30　1997年

1737 程華平　新詞催淚落情場　情種傳來《牡丹亭》——明、清對杜麗
　　　　　　　娘之「情」的闡釋與評價
　　　　　　　撫州師專學報　1998年第3期　頁33-37　1998年9月
　　　　　　　戲曲研究　2000年第0期　頁205-224　2000年

1738 伊　平　世紀壯舉，湯顯祖《牡丹亭》再現「廬山真面目」
　　　　　　　中國戲劇　1998年第4期　頁32　1998年

1739 Lu, Tina.　"Persons, personae, personages: Identity in *Mudan ting and
　　　　　　　Taohua shan*."PhD diss., Harvard University, 1998.

1740 Lu, Tina.　*"Persons, Roles and minds: Identity in Peony Pavilion and Peach Blossom Fan."* Stanford: Stanford University Press, 2001.

1741 呂立亭　情人的夢

徐永明、陳靝沅主編　英語世界的湯顯祖研究論著選譯
頁157-185　杭州市　浙江古籍出版社　2013年3月

1742 李　玫　湯顯祖的傳奇折子戲在清代宮廷裡的演出

文藝研究　2002年第1期　頁93-103　2002年

1743 Li, Wai-yee　"Languages of Love and Parameters of Culture in Peony Pavilion and The Story of the Stone." In Halvor Eifring, ed., *Love and Emotions in Traditional Chinese Literature.* Leiden: E. J. Brill, 2004, pp.237-270.

1744 根ヶ山徹　徐肅穎刪潤《玉茗堂丹青記》新探

華瑋主編　湯顯祖與牡丹亭（上）　頁367-392　臺北市　中央研究院中國文哲研究所　2005年12月

1745 李惠綿　《沈音鑑古錄‧牡丹亭》折子戲的改編與表演

華瑋主編　湯顯祖與牡丹亭（下）　頁803-852　臺北市　中央研究院中國文哲研究所　2005年12月

1746 劉淑麗　清代藝人對《牡丹亭》的改編

藝術百家　2005年第3期　頁19-22　2005年

1747 周錫山　《牡丹亭》和三婦評本中的夢異描寫述評——《真實與虛幻——文學名著中的夢異描寫研究》中的一節

浙江藝術職業學院學報　2007年第4期　頁25-31 2007年12月

1748 李保民　世間唯有情難死——讀三婦合評本《牡丹亭》

全國新書目　2008年第18期　頁30　2008年

1749 李　智　獨立東風看牡丹——陳士爭版《牡丹亭》與傳統戲曲的挖
　　　　　　掘視角

　　　　　　　電影評介　2009年第20期　頁109-110　2009年

1750 張嵐嵐　明清傳奇「魂夢」敘事模式意義探析——從《牡丹亭》和
　　　　　　《鴛鴦夢》談起

　　　　　　　戲劇文學　2012年第2期　頁93-98　2012年

1751 路云亭　新發現兩種清代《還魂記》評點本

　　　　　　　中國國家博物館館刊　2012年第2期　頁79-84　2012年

1752 高禎臨　讀者召喚、閱讀差異與文本對話——三婦點評《牡丹亭》

　　　　　　　戲曲學報　第9卷　頁85-121　2011年6月

4. 昆曲

1753 Swatek, Catherine.　"Feng Menglong's Romantic Dream : Strategies of
　　　　　　Containment in his Revision of The Peony Pavilion."
　　　　　　PhD. Diss., Columbia University, 1990.

1754 朱建明　情之一字　遂足千古——談昆劇電視片《牡丹亭》

　　　　　　　上海藝術家　1997年第Z1期　頁50-51　1997年

1755 No Name　"Shanghai Peony,"

　　　　　　　Wall Street Journal (Eastern Edition), Jun. 26, 1998.

1756 Faison Seth　"After the Drama, a Shanghai "Peony"? Yes, With
　　　　　　Changes,"
　　　　　　New York Times, Nov.25, 1999.

1757 Melvin Sheila　"Revived "Peony" Outshines the Banned Original,"
　　　　　　Wall Street Journal (Eastern Edition), July. 22, 1999.

1758 Waleson Heidi　"Lengthy "Peony Pavilion" Proves Worth Long Wait,"
　　　　　　Wall Street Journal (Eastern Edition), July. 13, 1999.

1759　Oestreich, James R　"The "Peony" Just Like The Phoenix, Lives Anew,"
　　　　New York Times, July. 13, 1999.

1760　王紀人、顧曉鳴　數聲啼鳥上花枝
　　　　上海文化報　1999年9月2日

1761　趙萊靜　世紀末的盛舉——新版昆劇《牡丹亭》觀後答友人
　　　　上海戲劇　1999年第10期　頁4-5　1999年

1762　鄒　平　情偶缺席與肉體缺席——昆劇《牡丹亭》中的杜麗娘
　　　　上海戲劇　1999年第10期　頁9　1999年

1763　彭奇志　今夜的寂寞如此美麗——新版昆劇《牡丹亭》欣賞
　　　　上海戲劇　1999年第10期　頁18-19　1999年

1764　王韻書　昆劇《牡丹亭》研討會紀實
　　　　上海藝術家　1999年第6期　頁69-71　1999年

1765　茅威濤　讓更多人「讀」古典名劇——寫在上海昆劇團新版《牡丹
　　　　亭》公演之前
　　　　文匯報　1999年8月

1766　彭本樂　牡丹雖好，還須綠葉扶持——評上海昆劇團新版《牡丹
　　　　亭》演出本
　　　　上海藝術家　1999年第6期　頁76　1999年

1767　周鞏平　談新編本《牡丹亭》
　　　　上海藝術家　1999年第6期　頁77　1999年

1768　蔡正仁　《牡丹亭》把我帶進了昆曲
　　　　上海藝術家　1999年第6期　頁49-50　1999年

1769　史　耘　崑劇明天的輝煌
　　　　上海戲劇　1999年第10期　1999年

1770　張靜嫻　最撩人春色是今年
　　　　上海戲劇　1999年第10期　1999年

1771 沈達人　上海新版《牡丹亭》漫議

　　　　　　中國戲劇　2000年第1期　2000年

1772 章詒和　還原《牡丹亭》

　　　　　　中國戲劇　2000年第1期　2000年

1773 周偉家　絕不是送葬，而是一次輝煌

　　　　　　中國戲劇　2000年第1期　2000年

1774 廖　奔　牡丹亭上牡丹競放──看上海昆劇團《牡丹亭》所想到的

　　　　　　影劇新作　2000年第3期　2000年

1775 王堂純　從新版《牡丹亭》談昆劇改革

　　　　　　上海戲劇　2000年第4期　頁11-13　2000年

1776 郭啟宏　全本《牡丹亭》啟示錄

　　　　　　上海戲劇　2000年第11期　頁8-10　2000年

1777 未署名　上海昆劇團上演《牡丹亭》（上、中、下）

　　　　　　中國戲劇場（網路戲劇雜誌）　2000年4月

1778 徐朔方　《牡丹亭》和昆腔

　　　　　　文藝研究　2000年第3期　頁91-97　2000年

1779 范曉寧　面對經典──觀上海昆劇團之新版《牡丹亭》

　　　　　　中外文化交流　2000年第2期　頁27-29　2000年

1780 廖　奔　群鶯唱出繞樑聲──看上海昆劇團演出《牡丹亭》

　　　　　　戲曲、戲劇研究（複印報刊資料）　2000年第2期

1781 孫書磊　也談民族戲劇改編的民族性與現代化──昆曲青春版《牡丹亭》

　　　　　　中國戲劇研究網　http://www.xiju.net

1782 Swatek, Catherine. *Peony Pavilion Onstage*: *Four Centuries in the Career of a Chinese Drama*. Ann Arbor: Center for Chinese Studies, The University of Michigan, 2001.

1783 史愷悌　《牡丹亭》與昆曲戲曲文化

徐永明、陳靝沅主編　英語世界的湯顯祖研究論著選
譯　頁287-313　杭州市　浙江古籍出版社　2013年
3月

1784 金鴻達　《牡丹亭》在昆曲舞臺上的流變

上海市　上海戲劇學院戲劇戲曲學碩士論文　2001年

1785 未署名　昆劇裡的「男歡女愛」──以「佳期」《西廂記》及「驚
夢」《牡丹亭》作示範演出

香港　香港大學文學院2002年版會議論文

1786 孔超瓊　忠於原著之精神，兼顧戲劇性：白先勇劇本《遊園驚夢》
與小說比較細讀

上海戲劇　2002年第8期　頁19-20　2002年

1787 金鴻達　昆劇《牡丹亭》的當代解讀

上海戲劇　2003年第8期　頁34-35　2003年

1788 蔣　凡　玉茗花開數牡丹──讀上昆《牡丹亭》隨想

上海戲劇　2003年第7期　頁17-20　2003年

1789 張　裕　上昆《牡丹亭》「險」中求精

文匯報　2003年6月6日

1790 端木復　上昆《牡丹亭》期待新突破

解放日報　2003年6月10日

1791 張　裕　上昆《牡丹亭》再動手術

文匯報　2003年8月12日

1792 戴　平　看新版昆劇《牡丹亭》

中國文化報　2003年10月11日

1793 蔣星煜　古典名劇的縮微藝術──談上昆的《牡丹亭》文本

上海戲劇　2003年第7期　頁15-16　2003年

1794 施如芳　打造湯顯祖的「青春夢」——白先勇與蘇崑的「牡丹亭」
　　　　　表演藝術　第135卷　頁15-19　2004年3月

1795 白先勇、張淑香、華瑋、辛意雲編劇、高明帝導播、白先勇、蔡少
　　　華、樊曼儂製片　牡丹亭・青春版
　　　　　臺北市　公共電視公司　2004年

1796 白先勇、樊曼儂、蔡少華　青春版牡丹亭
　　　　　臺北市　國立中正文化中心　2004年

1797 白先勇　姹紫嫣紅牡丹亭：四百年青春之夢
　　　　　桂林市　廣西師範大學出版社　2004年

1798 王　寅　青春版《牡丹亭》戲外戲
　　　　　南方周末　2004年4月15日

1799 趙　忱　昆曲《牡丹亭》如何青春
　　　　　中國文化報　2004年9月25日　無版號

1800 白先勇　牡丹還魂
　　　　　臺北市　時報文化出版公司　2004年

1801 未署名　青春版《牡丹亭》引領昆曲復興
　　　　　中國日報（北美版）　2004年9月21日　頁13

1802 未署名　青春版《牡丹亭》在上海演出
　　　　　中國日報（北美版）　2004年11月6日　頁8

1803 未署名　青春版《牡丹亭》在上海演出
　　　　　中國日報（北美版）　2004年11月13日　頁8

1804 未署名　青春版《牡丹亭》在上海演出
　　　　　中國日報（北美版）　2004年11月20日　頁8

1805 張淑香　捕捉愛情神話的春影——青春版《牡丹亭》的詮釋與整編
　　　　　福建藝術　2004年第4期　頁38-39轉頁42　2004年

1806 文　君　青春版《牡丹亭》：讓青年觀眾愛昆曲
　　　　　　人民日報（海外版）　2004年10月18日　無版號

1807 白先勇　牡丹還魂
　　　　　　北京市　文匯出版社　2004年11月

1808 未署名　白先勇蘇州盯排《牡丹亭》
　　　　　　北京娛樂信報　2004年1月31日

1809 李　冰　白先勇：把《牡丹亭》送到美國
　　　　　　北京娛樂信報　2004年9月26日

1810 文　君　青春版《牡丹亭》：讓青年觀眾受愛昆曲
　　　　　　人民日報（海外版）　2004年10月18日

1811 閻　琴　戲曲應以「軟件」征服觀眾──昆劇《牡丹亭》啟示錄
　　　　　　東方藝術　2004年第9期　頁78-79　2004年

1812 未署名　青春版《牡丹亭》的前世今生
　　　　　　北京娛樂信報　2004年6月6日

1813 桂　杰、徐　虹　白先勇：《牡丹亭》中最後的貴族
　　　　　　中國青年報　2004年6月20日

1814 周子清　月落重生燈再紅──青春版昆劇《牡丹亭》觀後感
　　　　　　中國戲劇　2005年第1期　頁33-35　2005年

1815 白先勇　牡丹亭上三生路──製作「青春版」的來龍去脈
　　　　　　湯顯祖研究通訊　2005年第1期　杭州　中國戲曲會
　　　　　　湯顯祖研究會　2005年

1816 馮　璐　奼紫嫣紅牡丹亭──與白先勇對話青春版《牡丹亭》
　　　　　　湯顯祖研究通訊　2005年第1期　杭州　中國戲曲會
　　　　　　湯顯祖研究會　2005年

1817 吳書蔭　對青春版《牡丹亭》演出的思考
　　　　　　湯顯祖研究通訊　2005年第1期　杭州　中國戲曲會
　　　　　　湯顯祖研究會　2005年

1818 王　雪　看江蘇昆劇院新版《牡丹亭》
　　　　　　湯顯祖研究通訊　2005年第1期　杭州　中國戲曲會
　　　　　　湯顯祖研究會　2005年

1819 蘇　涵　《牡丹亭》與當代戲劇的舞臺生命——評白先勇「青春
　　　　　　版」《牡丹亭》及其他
　　　　　　藝術評論　2005年第3期　頁38-41　2005年

1820 李耿巍　尋夢·追夢·圓夢——白先勇「青春版」《牡丹亭》的製
　　　　　　作歷程
　　　　　　世界華文文學論壇　2005年第1期　頁50-53　2005年

1821 管敏政　架起傳統文化與青年之間的橋樑——從青春版昆曲《牡丹
　　　　　　亭》的轟動效應談起
　　　　　　戲文　2005年第2期　頁38-39　2005年

1822 佳　山　春天到北大看青春版《牡丹亭》
　　　　　　科學時報　2005年4月5日

1823 鄒　紅　在古典與現代之間——青春版昆曲《牡丹亭》的詮釋
　　　　　　文藝研究　2005年第11期　頁102-107轉頁160　2005年

1824 王安祈　如何檢測崑劇全本復原的意義
　　　　　　華瑋主編　湯顯祖與牡丹亭（下）　頁887-920　臺北
　　　　　　市　中央研究院中國文哲研究所　2005年12月

1825 盧　煒　古典名劇的現代詮釋——論青春版昆曲《牡丹亭》
　　　　　　江西教育學院學報　2005年第3期　頁73-75　2005年
　　　　　　6月

1826 費　泳　《牡丹亭》二度創作賞鑒——滬、臺、美三地《牡丹亭》
　　　　　　演出之比較
　　　　　　東方藝術　2005年第8期　頁10-13　2005年

1827 陳雲梅　青春版《牡丹亭》在傳統昆曲上的改革——讚白先勇先生

「先吃螃蟹」的勇氣

劇影月報　2005年第4期　頁49-52　2005年

1828 河西來　談白先勇青春版《牡丹亭》的成功演出及其意義

戲劇文學　2005年第9期　頁67-69　2005年

1829 王燕飛　淺談青春版《牡丹亭》的人情美

劇作家　2005年第5期　頁62-69　2005年

1830 李　娜　牡丹還魂——從青春版《牡丹亭》開始的「文藝復興」

華文文學　2005年第5期　頁31　2005年

1831 白先勇　姹紫嫣紅開遍——青春版《牡丹亭》八大名校巡演盛況紀實

華文文學　2005年第5期　頁32-35　2005年

1832 汪世瑜　情真意濃護「牡丹」

華文文學　2005年第5期　頁36-41　2005年

1833 劉　俊　昆劇青春版《牡丹亭》蘇州製作過程「場記」

華文文學　2005年第5期　頁42-44　2005年

1834 曹樹鈞　青春版《牡丹亭》的藝術成就與改進建議

廈門教育學院　2005年第4期　頁27-30　2005年12月

1835 何西來　論白先勇青春版《牡丹亭》的成功及其意義

華文文學　2005年第6期　頁14-19　2005年

1836 黎湘萍　聞弦歌而知雅意——從昆曲青春版《牡丹亭》開始的文藝復興

華文文學　2005年第6期　頁31-36　2005年

1837 李　娜　從劇本改編看「青春版《牡丹亭》」的藝術個性

華文文學　2005年第6期　頁37-42　2005年

1838 陶慕寧　青春版《牡丹亭》三題

華文文學　2005年第6期　頁43-47　2005年

1839 白先勇　《牡丹亭》：白先勇青春版

北京市　新象文教基金會　2005年

桂林市　廣西師範大學出版社　2006年

北京市　北京大學藝術學院　2006年

1840 陳美林　「通變」中的《牡丹亭》——在東南大學戲曲名家昆曲學
術研討會上的發言

東南大學學報（哲學社會科學版）　2006年第1期
頁115-118轉頁125　2006年12月

1841 何　軍　《牡丹亭》：昆曲越韻兩相依

戲文　2006年第1期　頁8　2006年

1842 曹樹鈞　青春版《牡丹亭》的藝術成就

戲劇文學　2006年第2期　頁65-68　2006年

1843 王　馗　不到園林，怎知春色如許——青春版《牡丹亭》：在現代
與傳統中

藝術評論　2006年第6期　頁19-21　2006年

1844 陳國慶　銷魂的昆曲《牡丹亭》

民族論壇　2006年第9期　頁25-26　2006年

1845 朱棟霖　論青春版《牡丹亭》現象

文學評論　2006年第6期　頁96-101　2006年

1846 寇致銘　「大流亡」中一「亭」——昆劇《牡丹亭》在海外上演的
文化框架

南京師範大學文學院學報　2006年4期　頁52-58
2006年12月

1847 陸士清　白先勇與青春版《牡丹亭》現象

復旦學報（社會科學版）　2006年6期　頁94-99
2006年

1848 張洪海　青春版昆曲《牡丹亭》劇本改編芻議

蘭州學刊　2006年第12期　頁175-177　2006年

1849 陳　立　「青春版」《牡丹亭》——戲曲現代化的選擇
　　　　　　戲劇之家　2006年第4期　頁13-18　2006年

1850 歐陽啟名　昆曲《牡丹亭》〈游園〉曲詞賞析
　　　　　　藝術教育　2006年第11期　頁16　2006年

1851 張　莉　析青春版《牡丹亭》中的傳統與現代
　　　　　　西安電子科技大學學報（社會科學版）　2007年第3
　　　　　　期　頁126-131　2007年5月

1852 王臻青　三勘昆曲《牡丹亭》
　　　　　　中國戲劇　2007年第7期　頁30-31　2007年

1853 徐燕琳　天然與意趣——也談青春版《牡丹亭》的改編
　　　　　　大舞臺　2007年第5期　頁14-15　2007年

1854 李　硯　昆曲《牡丹亭》音樂研究
　　　　　　天津市　天津音樂學院音樂學碩士論文　2007年

1855 蘭庭崑劇團　尋找游園驚夢
　　　　　　臺北市　蘭庭崑劇團　2007年

1856 溫宇航　尋找游園驚夢（Quest for the Garden Saunter and the
　　　　　　Interrupted Dream）
　　　　　　臺北市　蘭庭崑劇團　2007年

1857 翁國生　青春版《牡丹亭》
　　　　　　香港　迪志文化出版公司　2007年

1858 湯顯祖　牡丹亭：中國崑曲青春版
　　　　　　北京市　中華人民共和國教育部　2007年

1859 白先勇　牡丹亭：白先勇青春版
　　　　　　北京市　中華人民共和國文化部　2007年

1860 夏　琳　昆曲《牡丹亭・游園》唱腔結構分析
　　　　　　黃河之聲　2007年第14期　頁117-119　2007年

1861 黃天驥　戲曲審美觀的傳承與超越——青春版《牡丹亭》演出的啟示
　　　　　　文化遺產　2007年第1期　頁5-11　2007年

1862 朱偉明　《牡丹亭》與崑曲的審美特徵
　　　　　　中華戲曲　2007年第1期　頁92-101　2007年

1863 謝俐瑩　從「馮小青熱」看「牡丹亭效應」——崑劇折子戲〈題
　　　　　　曲〉的多重閱讀
　　　　　　東吳中文研究集刊　第14卷　頁129-145　2007年6月

1864 白先勇　牡丹亭：青春版
　　　　　　臺北市　天下遠見出版　2008年

1865 白先勇　牡丹亭：白先勇青春版
　　　　　　武漢市　武漢大學出版社　2008年

1866 杭　慧　美麗的古典與青春的現代——談白先勇青春版《牡丹亭》
　　　　　　及其現代性
　　　　　　世界華文文學論壇　2008年第2期　頁50-52　2008年

1867 朱棟霖　青春版《牡丹亭》為何受青睞？
　　　　　　學習月刊　2008年第11期　頁48-49　2008年

1868 王璦玲　「經典」再現之現代意義——論崑劇《長生殿》、《牡丹
　　　　　　亭》在臺展演之文化意涵
　　　　　　人文與社會科學簡訊　第11卷第1期　頁49-58　2008
　　　　　　年12月

1869 李　劫、黃初晨　青春版《牡丹亭》圓夢湯顯祖大劇院
　　　　　　撫州日報　2008年12月30日　第1版

1870 趙　忱　崑曲《牡丹亭》正在被「芭蕾」
　　　　　　中國文化報　2008年3月8日　第4版

1871 胡志毅　雙重的再生：青春版《牡丹亭》演出的意義
　　　　　　中國戲劇研究網　http://www.xiju.net

1872 Dunhuang（網名） 看省昆新版《牡丹亭》
　　　　　　中國戲劇研究網　http://www.xiju.net

1873 未署名　梅蘭芳深深感到湯劇的偉大
　　　　　　中國湯顯祖文化網　http://www.txz-cul.com

1874 呂效平　江蘇省昆劇院演出《牡丹亭》：冥判、拾畫、叫畫、幽媾
　　　　　　中國戲劇研究網　http://www.xiju.net

1875 未署名　青春版《牡丹亭》永遠的青春、永恆的美
　　　　　　中國湯顯祖文化網　http://www.txz-cul.com

1876 未署名　情系死生說牡丹──昆劇《牡丹亭》上下本改編說明
　　　　　　中國湯顯祖文化網　http://www.txz-cul.com

1877 程　晶　昆曲《牡丹亭》的審美文化透視
　　　　　　濟南市　山東師範大學文藝學碩士論文　2008年

1878 何　博　妙在離合之際──論青春版《牡丹亭》的劇本整編
　　　　　　武漢大學學報（人文科學版）　2008年第6期　頁706-
　　　　　　710　2008年11月

1879 李　硯　昆曲《牡丹亭》「傳統版」與「青春版」之比較研究
　　　　　　樂府新聲（瀋陽音樂學院學報）　2008年第4期　頁
　　　　　　96-105　2008年

1880 邱　清　公關思維與公關之美──以白先勇青春版《牡丹亭》公關
　　　　　　為例
　　　　　　青年記者　2008年第29期　頁28　2008年

1881 飄　飄　戲曲需要「青春版……」──從青春版《牡丹亭》說起
　　　　　　廣東藝術　2008年第3期　頁22-23　2008年

1882 金遇錫　「青春版」《牡丹亭》의　성과와　의의：崑曲의　현대적
　　　　　　계승과　재창조에　대한　논의를　겸하여（「青春版」
　　　　　　《牡丹亭》的性格與意義：兼論崑曲的現代性繼承與再

照明）

中國語文學誌　第28卷　頁123-138　2008年

1883 宋俊華　牡丹亭：從「至情版」到「青春版」——一部昆曲經典的
建構、重構與解讀

文化遺產　2009年第3期　頁34-41轉頁132　2009年

1884 吳　迪　白先勇的昆曲——《牡丹亭》及《玉簪記》說起

書屋　2009年第10期　頁67-69　2009年

1885 王如丹　昆曲《牡丹亭》的敘事結構

劇影月報　2009年第6期　頁59-60　2009年

1886 董海燕　從青春版昆曲《牡丹亭》到廳堂版昆曲《牡丹亭》

大眾文藝　2009年第24期　頁75　2009年

1887 陶夢怡　青春版《牡丹亭》海報設計中的傳統與現代問題

數位時尚（新視覺藝術）　2009年第2期　頁72-73
2009年

1888 張　珂　傳播學視野下的青春版《牡丹亭》改編價值芻議

大舞臺　2010年第3期　頁93-95　2010年

1889 郭晨子　「牡丹亭」上三生路　上昆《牡丹亭》的三次舞臺呈現

上海戲劇　2010年第6期　頁10-11　2010年

1890 馮智全　蘇州對人類口頭非物質遺產昆曲的生態性哺育——以《牡
丹亭》為例

人民音樂　2010年第7期　頁47-49　2010年

1891 于　巖　因情而生的昆曲——《牡丹亭》

文學界（理論版）　2010年第4期　頁80轉頁94　2010年

1892 曲海鷹　「牡丹」雖好，何以為繼——由白先勇的青春版《牡丹
亭》談起

佳木斯教育學院學報　2010年第5期　頁225　2010年

1893 張　珂　青春版《牡丹亭》的本文改編和讀者接受初探
　　　　　　戲劇文學　2010年第9期　頁64-68　2010年

1894 錢國禎　昆曲《牡丹亭・游園》的戲曲藝術分析
　　　　　　天津音樂學院學報　2010年第3期　頁61-69轉頁99、
　　　　　　133　2010年

1895 王惠芳　從昆曲《牡丹亭》進校園看中國經典藝術的美育意義
　　　　　　高教與經濟　2010年第4期　頁37-42　2010年12月

1896 鄒元江　從梅蘭芳對《游園驚夢》的解讀看其對昆曲審美趣味的偏離
　　　　　　戲劇（中央戲劇學院學報）　2010年第4期　頁59-72
　　　　　　2010年

1897 劉　濤　論青春版《牡丹亭》之於戲曲現代化的啟示意義
　　　　　　中華藝術論叢　2010年第0期　頁416-426　2010年

1898 汪世瑜　導演青春版《牡丹亭》的心得
　　　　　　文化藝術研究　2010年第S1期　頁173-193　2010年

1899 翟　靜　昆曲《牡丹亭》游園驚夢中杜麗娘演繹探究
　　　　　　大家　2011年第9期　頁165-166　2011年

1900 胡　爽　因情成夢，因夢成戲——青春版《牡丹亭》
　　　　　　青春歲月　2011年第12期　頁67　2011年6月

1901 鄒元江　作為審美思維限制的戲曲藝術的間離——以梅蘭芳電影
　　　　　　《游園驚夢》的昆曲表演為例
　　　　　　戲劇（中央戲劇學院學報）　2011年第4期　頁121-
　　　　　　134　2011年

1902 張　穎　談《游園驚夢》戲劇演出中的夢敘述
　　　　　　四川戲劇　2011年第6期　頁41-44　2011年

1903 翁文千　論昆曲《閨塾》中「春香」的演繹之美
　　　　　　才智　2012年第18期　頁175　2012年

1904 郭　曼　青春版《牡丹亭》場上創新初探

華章　2012年第25期　頁99　2012年

1905 周　冉　六百年昆曲　新劇永遠取代不了《牡丹亭》

文史參考　2012年第24期　頁52-55轉頁3　2012年

1906 田茜茜　牡丹亭上三生路──淺析青春版《牡丹亭》

名作欣賞　2013年第2期　頁167-168　2013年

1907 陳　芳　「崑劇傳統」在當代的意義：以《牡丹亭》「重構本」為
例的探討

戲劇學刊　第11卷　頁163-193　2010年1月

1908 蔡孟珍　從明清縮編版到現代演出版《牡丹亭》──談崑劇重構的
幾個關鍵

成大中文學報　第32卷　頁87-89轉頁91-123　2011年
3月

1909 曾創創　《牡丹亭》原著與「青春版」比較研究

長沙市　湖南大學中國語言文學碩士論文　2012年

1910 陶慕寧　「青春版」《牡丹亭》：溝通昆曲與現代觀眾的橋梁

中國社會科學報　2012年7月13日　第A6版

1911 諶　強　燕園賞昆曲姹紫嫣紅《牡丹亭》

光明日報　2010年3月19日　第9版

1912 薑　婷　美的選擇：青春版《牡丹亭》中「花神」的舞臺改編

青年文學家　2015年第29期　頁40-41　2015年

1913 門嶢嶢　試論昆曲的音樂欣賞方式──以《牡丹亭》為例

黃河之聲　2014年第21期　頁81-82　2014年4月

1914 任文姝　昆劇《牡丹亭》的愛情主題與民間文學素材的提煉

芒種　2015年第20期　頁53-54　2015年6月

1915　白　寧　昆曲《牡丹亭》「嫋晴絲」唱段之演唱審美分析
　　　　　　　　樂府新聲　2015年第3期　頁55-57　2015年11月

1916　張　萌　淺析昆曲藝術中的江南之美——以《牡丹亭》為例
　　　　　　　　美與時代（下旬刊）　2016年第1期　頁112-114
　　　　　　　　2016年4月

1917　侯忠傑　依字聲行腔——昆曲《牡丹亭‧尋夢》〔嘉慶子〕的聲腔
　　　　　　　分析
　　　　　　　　天津市　天津師範大學音樂碩士論文　2016年

1918　王菊菲　昆曲中「五旦」唱腔研究——以《牡丹亭》〈遊園〉為例
　　　　　　　　蘇州市　蘇州大學音樂與舞蹈學碩士論文　2016年

1919　鄔清清　《牡丹亭》的前世今生——湯顯祖《牡丹亭》與青春版
　　　　　　　《牡丹亭》出目形式的對比分析
　　　　　　　　名作欣賞　2016年第6期　頁101-103　2016年

5. 弋陽腔

1920　黃文錫　《還魂後記》（弋陽腔）
　　　　　　　　影劇新作　2000年第3期　2000年

6. 採茶戲

1921　廖夏林　姹紫嫣紅俗中雅，曲苑流芳臨川香——試論新編臨川版採
　　　　　　　茶戲《牡丹亭》的藝術創新
　　　　　　　　戲劇文學　2012年第6期　頁79-82　2012年

7. 越劇

1922　劉　平　小劇場越劇《牡丹亭》的別樣風景
　　　　　　　　戲文　2004年第5期　頁41-42　2004年

上海戲劇　2004年第7期　頁16-17　2004年

1923 建　文　越劇《牡丹亭》在遂昌隆重首演

戲文　2005年第6期　頁96　2005年

1924 王巷扉　越劇《牡丹亭》風靡遂昌城

中國戲劇　2006年第1期　頁24　2006年

1925 周育德　越腔越韻《牡丹亭》

中國戲劇　2006年第1期　頁28-29　2006年

1926 勵棟煌　為讓平民百姓共賞經典名劇——創演越劇《牡丹亭》感思

戲文　2006年第1期　頁7　2006年

1927 孫和軍　保雅還俗，尚需精雕細琢——越劇《牡丹亭》淺評

戲文　2006年第1期　頁37-38　2006年

8. 贛劇

1928 唐雪薇　贛劇《牡丹亭》裡外三新

北京娛樂新報　2003年11月15日

1929 傅修延　新版贛劇《牡丹亭》杜麗娘　新世紀裡最美還魂

江西日報　2003年12月25日

1930 葉樹發　新版贛劇《牡丹亭》學術研討會綜述

文藝報　2004年3月4日

1931 郭漢城　新版贛劇《牡丹亭》的探索意義

創作評譚　2004年第2期　頁58-59　2004年

1932 葉長海　情的贊歌——觀新版贛劇《牡丹亭》

創作評譚　2004年第2期　頁61-62　2004年

1933 海　聞　愛與夢的家園——記新編贛劇《牡丹亭》

上海戲劇　2005年第12期　頁20　2005年

9. 其他

1934 常　暉　一臺徹頭徹尾大雜燴──看維也納1998國際音樂節上演的
　　　　《牡丹亭》
　　　　　　　音樂研究　1998年第3期　頁78-79　1998年

1935 丁麗英　中為洋用《牡丹亭》
　　　　　　　天涯　1998年第6期　頁126-128　1998年

1936 No Name　Music in Concert
　　　　　　　American Record Guide, Mar./Apr. 1999

1937 Chen, Meilin（陳美林）　Mu Dan Ting/Tang Xianzu；Chen Meilin
　　　　gai bian；〔fan yi Kuang Peihua, Cao Shan〕= *The Peony*
　　　　Pavilion/ Tang Xianzu；adapted by Chen Meilin（牡丹
　　　　亭/湯顯祖；陳美林改編；翻譯匡佩華，曹珊The
　　　　Peony Pavilion/ Tang Xianzu；adapted by Chen Meilin）
　　　　Beijing: Xin Shin Jie Chu She, 1999（北京市：新世界
　　　　出版社　1999年）

1938 Yen-Xiao Ping, Tang- Hsien Tsu　*The Peony Pavilion* (a novel)
　　　　　　　Homa & Sekey Books, 2000

1939 鄧如怡　人物剪影：楊凡新片「游園驚夢」
　　　　　　　亞洲週刊　第15卷第10期　頁52-54期　2001年3月

1940 馬建華　梟短鶴長　各有攸當──莆仙戲《牡丹亭》與湯顯祖《牡
　　　　丹亭》小議
　　　　　　　福建藝術　2002年第3期　頁16-18　2002年

1941 黃海澄　說《牡丹亭》「賞心樂事」
　　　　　　　中國京劇　2002年第3期　頁38-39　2002年

1942 韋　吉　清風明月知無價──薦黃梅戲《牡丹亭》
　　　　　　　安徽新戲　2002年第1期　頁9　2002年

1943 彭承禮　湯顯祖與南安牡丹亭
　　　　　　　人民日報（海外版）　2003年7月11日

1944 鄭　欣　春風拂檻露華濃──《牡丹亭》舞蹈劇本創作談
　　　　　　　劇本　2007年第5期　頁82　2007年

1945 解玉峰　論折子戲──以湯顯祖《牡丹亭》的考察為中心
　　　　　　　戲曲研究　2007年第2期　頁217-228　2007年

1946 袁　禾　心理芭蕾的成功嘗試──解讀芭蕾舞劇《牡丹亭》
　　　　　　　北京舞蹈學院學報　2008年第2期　頁25-28　2008年

1947 陶　琳　美哉，一個偉大的中國夢想──簡評大型舞劇《牡丹亭》
　　　　　　　的藝術特色
　　　　　　　軍營文化天地　2008年第9期　頁24　2008年

1948 木　葉　舞劇《牡丹亭》曼妙登滬
　　　　　　　上海戲劇　2008年第12期　頁2　2008年

1949 樸紅梅　至情至美──芭蕾舞劇《牡丹亭》記
　　　　　　　舞蹈　2008年第6期　頁22-24　2008年

1950 夏　帆　牡丹新亭展妙姿──評《牡丹亭》的舞蹈文化現象
　　　　　　　舞蹈　2008年第7期　頁30-32　2008年

1951 羅　斌　人鬼情未了──閱「前線」舞劇《牡丹亭》
　　　　　　　舞蹈　2008年第8期　頁10-11　2008年

1952 袁愛國　不到園林，怎知春色如許──讀《于丹・游園驚夢》
　　　　　　　教育理論與實踐　2008年第15期　2008年

1953 謝　婧　電視劇《牡丹亭》合作拍攝簽約儀式舉行
　　　　　　　撫州日報　2008年11月27日　第1版

1954 邵珠峰　《牡丹亭》的電影改編
　　　　　　　語文學刊　2012年第10期　頁78-79　2012年

1955 李珊珊　民族舞劇《牡丹亭》舞蹈語匯賞析
　　　　　　　大眾文藝　2012年第22期　頁111轉頁162　2012年

1956　趙天為　俏麗湘小生聰本《牡丹亭》

戲曲研究　2012年第3期　頁245-257　2012年

1957　傅修延　戲劇與高校結緣《牡丹亭》再譜新篇

文藝報　2004年3月4日　第2版

10.評點

1958　朱萬曙　明人對《牡丹亭》的評點批評及其傳播功用

華瑋主編　湯顯祖與牡丹亭（上）　頁343-366　臺北
市　中央研究院中國文哲研究所　2005年12月

1959　涂育珍　論《牡丹亭》文人評點本的「文體」自覺

藝術百家　2007年第5期　頁29-32　2007年

1960　王省民　《牡丹亭》評點的傳播學意義

四川戲劇　2008年第6期　頁34-36　2008年

1961　劉　毅　文本在評點傳播中放大──以《牡丹亭》的評點為考察
對象

戲劇文學　2010年第7期　頁54-58　2010年

1962　趙雅麗　20世紀80年代以來的《牡丹亭》女性評點研究述略

東華理工大學學報（社會科學版）　2014年第2期
頁101-105　2014年8月

1963　Hua Wei.　"How Dangerous Can *The Peony* be? Textual Space, *Caizi Mudanting,* and Naturalizing the Erotic," *The Journal of Asian Studies,* Vol.65, Issue 4 (2006):741-62.

1964　華　瑋　《牡丹》能有多危險？──本文空間、《才子牡丹亭》與
情色天然

文化藝術研究　2012年第3期　頁56-69　2012年7月
徐永明、陳靝沅主編　英語世界的湯顯祖研究論著選

譯　頁225-246　杭州市　浙江古籍出版社　2013年
3月

1965 江巨榮　《才子牡丹亭》的歷史意蘊
南京師範大學文學院學報　2002年第2期　頁13-20
2002年6月

1966 華　瑋　《才子牡丹亭》作者考述——兼及〈笠閣批評舊戲目〉的
作者問題
中國文哲研究集刊　第13卷　頁1-35　1998年9月

1967 華　瑋　《才子牡丹亭》之情色論述及其文化意涵
禮教與情欲：前近代中國文化中的後/現代性研討會論
文集　頁213-250　臺北市　中央研究院近代史研究所
文化思想史組主辦　1999年

1968 華　瑋　論《才子牡丹亭》之女性意識
戲劇藝術　2001年第1期　頁90-101　2001年

1969 江巨榮、華瑋　《才子牡丹亭》：古代戲曲第一奇評
湯顯祖研究通訊　2004年第1期　杭州　中國戲曲會
湯顯祖研究會　2004年

1970 杜　娟　《才子牡丹亭》初探
上海市　復旦大學古代文學碩士論文　2003年5月

1971 吳震生、程瓊批評、華瑋、江巨榮點校　才子牡丹亭
臺北市　臺灣學生書局　850頁　2004年4月

1972 江巨榮　《才子牡丹亭》對理學賢文的哲學、歷史和文學批判
華瑋主編　湯顯祖與牡丹亭（上）　頁393-428　臺北
市　中央研究院中國文哲研究所　2005年12月

1973 商　偉　一陰一陽之謂道——《才子牡丹亭》的評註話語及其顛
覆性

華瑋主編　湯顯祖與牡丹亭（上）　頁429-466　臺北
市　中央研究院中國文哲研究所　2005年12月

1974 奚如谷著、孫曉靖譯　論《才子牡丹亭》之《西廂記》評注
華瑋主編　湯顯祖與牡丹亭（上）　頁467-496　臺北
市　中央研究院中國文哲研究所　2005年12月

1975 劉明今　「好色」與「意淫」──《才子牡丹亭》的評點旨趣
中國文學研究　2007年第3期　頁203-212　2007年

1976 王燕飛　《才子牡丹亭》之男性意識
中國古代小說戲劇研究叢刊　2008年第2期　頁293-
303　2008年

1977 耿傳友　「俱非才子不能道」──《才子牡丹亭》批評視野下的
《疑雨集》與《牡丹亭》
戲曲研究　2012年第2期　頁242-255　2012年

1978 趙　苗　談三婦評《牡丹亭》
文史知識　1997年第7期　頁99-101　1997年

1979 華　瑋　婦女評點《牡丹亭》：《吳吳山三婦合評牡丹亭還魂記》
與《才子牡丹亭》析論
范銘如主編　中國女性書寫國際學術研討會論文集
頁171-218　臺北　淡江大學中國文學系主辦　1999年

1980 林宗毅　《才子牡丹亭》與《西廂記》之關係試探－以「褻喻」、
紅娘、鶯鶯為討論中心
藝見學刊　2014年第7期　頁69-79　2014年

1981 江巨榮、華瑋　《才子牡丹亭》：古代戲曲第一奇評
湯顯祖研究通訊　2004年第1期　杭州　中國戲曲會
湯顯祖研究會　2004年

1982 郭　梅　從今解識春風面，腸斷羅浮曉夢邊──《吳吳山三婦合評

Commentary on The Peony Pavilion."*Harvard Journal of Asiatic Studies*, Vol.54,No.1 (Jun, 1994), pp.127-179

1992 蔡九迪　異人同夢：《吳吳山三婦何評牡丹亭》考釋
　　　　　　英語世界的湯顯祖研究論著選譯　頁186-224　徐永明、陳靝沅主編　杭州市　浙江古籍出版社　2013年3月

11. 舞臺演出

1993 劉敏君　湯顯祖名揚世界：全本崑曲《牡丹亭》將亮相國際舞臺
　　　　　　人民日報（海外版）　1998年4月9日

1994 賈　方　古典名著能這樣改編搬上舞臺嗎？——全本《牡丹亭》舞臺劇觀感
　　　　　　解放日報　1998年6月20日
　　　　　　戲曲、戲劇研究（複印報刊資料）　1998年第7期

1995 陳凱莘　崑劇《牡丹亭》舞臺藝術演進之探討——以《牡丹亭》晚明文人改編本及折子戲為探討對象
　　　　　　臺北市　國立臺灣大學戲劇研究所碩士論文　1998年

1996 程　驥、羅　賓　全本《牡丹亭》在滬試演引起爭議
　　　　　　河南戲劇　1998年第5期　頁4-13　1998年

1997 Rockwell John　The Demise of The Peony Pavilion
　　　　　　Orientations, 1998, 08

1998 No Name　A Padlocked Pavilion
　　　　　　Theatre Crafts International, Oct. 1998

1999 Oestreich, James R　"Loss of "Peony" and Players,"
　　　　　　New York Times, July.7, 1998.

2000 Oestreich, James R　For Director of "Peony" A Breather Unsought
　　　　　　New York Times, July.4, 1998.

2001 Faison, Seth　The Fate of "Peony" May Hang on Clinton
　　　　　　　　　New York Times, June.30, 1998.

2002 Faison, Seth　Chinese Spurn Appeal to Allow Opera Tour
　　　　　　　　　New York Times, April.24, 1998.

2003 Faison, Seth　Reinterpreted Chinese Opera Remains Grounded by Polotics
　　　　　　　　　New York Times, June.22, 1998.

2004 Melvin, Sheila　Lincoln Center;s Chinese Opera Shanghai
　　　　　　　　　Wall Street Journal (Eastern Edition), June.22, 1998.

2005 Faison, Seth　Despite Pressure, Chinese Continue to Block Opera Sets
　　　　　　　　　New York Times, June.21, 1998.

2006 謝柏梁　四百周年等一回──全本《牡丹亭》出國巡迴演出
　　　　　　　戲劇文學　1998年第8期　頁70　1998年

2007 郭小男　摯情與夢幻──關於重排《牡丹亭》的導演報告
　　　　　　　上海藝術家　1999年第6期　頁51-54　1999年

2008 Melvin, Sheila　Chinese "Peony" Blooms in Gotham
　　　　　　　　　Wall Street Journal (Eastern Edition), July.7, 1999.

2009 Melvin, Sheila　The Peony Pavilion, Finaally Coming to America
　　　　　　　　　Wall Street Journal (Eastern Edition), June.3, 1999.

2010 Oestreich, James R　Lincoln Center to Reviv Opera Thwarted by China
　　　　　　　　　New York Times, March. 16, 1999.

2011 未署名　玩偶劇場《牡丹亭》在美上演
　　　　　　　文匯報　2000年3月14日

2012 史愷悌　《牡丹亭》在國際舞臺的重生：看美國賽氏《牡丹亭》的
　　　　　　　感想
　　　　　　　紀念湯顯祖誕辰450周年學術研討會論文　江西省撫
　　　　　　　州市政府主辦　2000年8月23-25日

2013　劉　慶　《牡丹亭》家班演出初探

　　　　　　　　湯顯祖首屆年會論文　浙江遂昌縣　浙江省文化廳主

　　　　　　　　辦　2001年8月

2014　江巨榮　《牡丹亭》演出小史

　　　　　　　　中國戲劇研究網　http://www.xiju.net

2015　姜姈妹　「案頭之書」與　實際公演的問題：以《牡丹亭》為中心

　　　　　　　　中國語文學誌　第12卷　頁255-296　2002年

2016　蔡孟珍　《牡丹亭》場上表演的問題

　　　　　　　　中國文化研究　第5卷　頁65-92　2004年

2017　劉淑麗　明清時期家班及職業戲班演出《牡丹亭》概況

　　　　　　　　藝術百家　2004年第4期　頁28-33　2004年

2018　Besio Kimberly　China Peony Pavilion on Stage: Four Centuries in the

　　　　　　　　Career of a Chinese Drama

　　　　　　　　The Journal of Asian Studies, 63, 1, 2004

2019　蔡孟珍　《牡丹亭》場上表演的幾個問題

　　　　　　　　湯顯祖研究通訊　2005年第1期　杭州　中國戲曲會

　　　　　　　　湯顯祖研究會　2005年

2020　朱蓓蕾　關於《牡丹亭》演出本結尾的討論

　　　　　　　　湯顯祖研究通訊　2005年第1期　杭州　中國戲曲會

　　　　　　　　湯顯祖研究會　2005年

2021　費　泳　《牡丹亭》二度創作賞鑑——滬、臺、美三地《牡丹亭》

　　　　　　　　演出之比較

　　　　　　　　戲曲研究通訊　第4卷　頁109-122　2005年1月

2022　曾永義　再說「拗折天下人嗓子」

　　　　　　　　華瑋主編　湯顯祖與牡丹亭（上）　頁1-70　臺北市

　　　　　　　　中央研究院中國文哲研究所　2005年12月

2023 洪惟助　從撬喉捩嗓到歌稱繞樑的《牡丹亭》
　　　　　　華瑋主編　湯顯祖與牡丹亭（下）　頁737-780　臺北
　　　　　　市　中央研究院中國文哲研究所　2005年12月
2024 鄭培凱　梅蘭芳對《牡丹亭》的詮釋
　　　　　　華瑋主編　湯顯祖與牡丹亭（下）　頁853-886　臺北
　　　　　　市　中央研究院中國文哲研究所　2005年12月
2025 李小蘭　《牡丹亭》在舞臺上的流轉
　　　　　　戲劇文學　2005年第11期　頁55-59　2005年
2026 解玉峰　從全本戲到折子戲——以湯顯祖《牡丹亭》的考察為中心
　　　　　　文藝研究　2008年第9期　頁87-96　2008年
2027 江巨榮　《牡丹亭》演出的多樣性
　　　　　　中華戲曲　2007年第1期　頁75-91　2007年
2028 江巨榮　《牡丹亭》的歷史解讀與舞臺呈現
　　　　　　藝術評論　2007年第11期　頁55-60　2007年
2029 汪　惠　《牡丹亭》舞臺傳播相關問題研究
　　　　　　武漢市　武漢大學戲劇戲曲學碩士論文　2008年
2030 潘　妤　湯顯祖《臨川四夢》史上首度齊演
　　　　　　東方早報　2008年12月4日　C4版
2031 未署名　大型舞劇《牡丹亭》導演闡述
　　　　　　文藝報　2008年7月19日　B4版
2032 楊　樺　《牡丹亭》的現代跨文化制作
　　　　　　蘇州市　蘇州大學中國現當代文學碩士論文　2012年
2033 宋　潔　《牡丹亭》的電影傳播
　　　　　　蘭州市　蘭州大學中國古代文學碩士論文　2012年
2034 儲笑抒　大型舞劇《牡丹亭》昨晚上演
　　　　　　南京日報　2012年9月7日　A1版

2035 鄧　俊　古韻頻發青春活力，劇壇綻放驚世華彩——對近10年不同
　　　　　劇種演繹《牡丹亭》盛況的回顧與思考
　　　　　東華理工大學學報（社會科學版）　2015年第1期
　　　　　頁1-5　2015年
2036 林汝霖　《牡丹亭》舞臺設計創作論述
　　　　　高雄市　國立中山大學劇場藝術學系研究所碩士論文
　　　　　2015年

（十三）影響與評價

1. 影響

2037 Birch, Cyril.　"The Architecture of the *Peony Pavilion*." *Tamkang Review 10:3* (Spring/Summer 1980): 609-640.

2038 Swatek, Catherine.　"Feng Menglong's Romantic Dream: Strategies of containment in his Revision of The *Peony Pavilion*," PhD. Diss., New York: Columbia University, 1990.

2039 Swatek, Catherine.　"Plum and Portrait: Feng Meng-lung's Revision of *The Peony Pavilion*." *Asian Major*, Third Series 6.1 (1993):127-60.

2040 Chen, Jingmei.　"The Dream World of Love-Sick Maidens: A Study of Women's Responses to Peony Pavilion, 1598-1795." PhD diss., Los Angles, CA: University of California, Los Angeles, 1994.

2041 Riding Alan　"A "Peony" Thrives in Hybrid From Near Paris," *New York Times*, Dec.16, 1998.

2042 郭晨子　今晚的戲怎麼唱：由《牡丹亭》和《孔乙己》說起
　　　　　　南腔北調　1999年第6期　頁38-39　1999年

2043 鄒自振　論《牡丹亭》對《長生殿》的影響
　　　　　　南通師範學院學報（哲學社會科學版）　2000年第2
　　　　　　期　頁42-44　2000年6月

2044 鄒自振　湯顯祖劇作對《長生殿》的影響
　　　　　　紀念湯顯祖誕辰450周年學術研討會論文　江西省撫
　　　　　　州市政府主辦　2000年8月23-25日

2045 馬明捷　梅蘭芳與湯顯祖
　　　　　　紀念湯顯祖誕辰450周年學術研討會論文　江西省撫
　　　　　　州市政府主辦　2000年8月23-25日

2046 董　健　從《牡丹亭》看戲劇的文化意義
　　　　　　中國戲劇研究網　http://www.xiju.net

2047 根ヶ山徹　《還魂記》在清代的演變
　　　　　　戲曲藝術　2002年第4期　頁48-56　2002年

2048 林　青　《牡丹亭》的曲折路
　　　　　　黃梅戲藝術　2003年第1期　頁30-31　2003年

2049 Zhou, Zuyan.　*"The Peony Pavilion*: A Paean to the Androgynous
　　　　　　Ideal," In idem, *Androgyny in Late Ming and Early Qing*
　　　　　　Literature. Honolulu: University of Hawaii Press, 2003,
　　　　　　pp.69-94.

2050 王德威　現代中國文學的兩度「還魂」
　　　　　　華瑋主編　湯顯祖與牡丹亭（下）　頁671-698　臺北
　　　　　　市　中央研究院中國文哲研究所　2005年12月

2051 高選忠　崇明島上又見「牡丹亭」
　　　　　　中國文化報　2005年3月24日

2052 陳靜媚　閱讀越界：記一部十七世紀的《牡丹亭》木刻印本如何穿
　　　　　梭時空為女性閱讀做見證
　　　　　　　　中外文學　第34卷第9期　頁213-235　2006年2月
2053 李　珊　論《紅樓夢》對《牡丹亭》女性意識的繼承和發展
　　　　　　　　廣西社會科學　2007年第2期　頁142-146　2007年
2054 張筱梅　論才女讀者群對《牡丹亭》的接受
　　　　　　　　天府新論　2007年第5期　頁145-147轉頁152　2007年
2055 萬　方　明代戲曲版畫圖錄——牡丹亭
　　　　　　　　書屋　2010年第1期　頁1　2010年
2056 魯蘭英　牡丹亭
　　　　　　　　中華魂　1998年第3期　頁11　1998年
2057 陳玲玲　空谷幽蘭香飄四海——一曲《牡丹亭》震撼西方文明
　　　　　　　　上海戲劇　1999年第10期　頁32-33　1999年
2058 司徒沛　馮小青夜讀《牡丹亭》
　　　　　　　　南國紅豆　2000年第6期　頁54-55　2000年
2059 廖　奔　觀念挪移與文化闡釋錯位——美國塞氏《牡丹亭》印象
　　　　　　　　文藝爭鳴　2000年第1期　頁55-60　2000年
2060 郭啟宏　聞香識美人——從《牡丹亭》看海派
　　　　　　　　上海戲劇　2000年第11期　頁8-10　2000年
　　　　　　　　戲曲、戲劇研究（複印報刊資料）　2002年第2期
2061 徐信義　蔣士銓《臨川夢》對湯顯祖《牡丹亭》主題的體會
　　　　　　　　清代學術論叢　第5輯　頁51-63　2001年
　　　　　　　　第三屆國際清代學術研討會論文集　頁523-538　高雄
　　　　　　　　市國立中山大學清代學術研究中心主辦　2009年6月
2062 華　瑋　《地形仙》對《牡丹亭》的因襲與創造
　　　　　　　　中國文哲研究通訊　第12卷第2期　頁105-122　2002
　　　　　　　　年6月

2063 江興佑　論《長生殿》對《牡丹亭》的借鑒

　　　　　　　浙江社會科學　2003年4期　頁161-164　2003年

2064 傅修延　戲劇與高校結緣《牡丹亭》再譜新篇

　　　　　　　文藝報　2004年3月4日

2065 宇文所安　《牡丹亭》在《桃花扇》中的回歸

　　　　　　　華瑋主編　湯顯祖與牡丹亭（下）　頁497-510　臺北
　　　　　　　市　中央研究院中國文哲研究所　2005年12月

2066 蔡九迪著、李雨航譯　重身與分身——明末戲曲中的「魂旦」

　　　　　　　華瑋主編　湯顯祖與牡丹亭（下）　頁511-536　臺北
　　　　　　　市　中央研究院中國文哲研究所　2005年12月

2067 史愷悌著、戴聯斌譯　挑燈閒看馮小青——論兩部馮小青戲曲對
　　　　　　　《牡丹亭》的「拈借」

　　　　　　　華瑋主編　湯顯祖與牡丹亭（下）　頁537-590　臺北
　　　　　　　市　中央研究院中國文哲研究所　2005年12月

2068 華　瑋　從《續牡丹亭》看清初對《牡丹亭》的接受

　　　　　　　華瑋主編　湯顯祖與牡丹亭（下）　頁591-632　臺北
　　　　　　　市　中央研究院中國文哲研究所　2005年12月

2069 陳　靭　看《牡丹亭》成為香港大學生的時尚

　　　　　　　撫州日報　2006年9月21日　第1版

2070 李奭學　括號的詩學——從吳爾芙的《戴洛維夫人》看白先勇的
　　　　　　　〈游園驚夢〉

　　　　　　　中國文哲研究集刊　第28期　頁149-170　2006年3月

2071 王省民　對《牡丹亭》文本的傳播學思考

　　　　　　　四川戲劇　2006年第5期　頁77-78　2006年
　　　　　　　當代戲劇　2007年第1期　頁22-25　2007年

2072 王省民　從傳播學的角度觀照《牡丹亭》的演出

　　　　　　　藝術百家　2007年第2期　頁22-24　2007年

2073 王永恩　重合的意義：試論《牡丹亭》對晚明戲曲小說題材的影響
　　　　　　　南京師大學報（社會科學版）　2007年第3期　頁135-
　　　　　　　139　2007年5月

2074 張筱梅　《牡丹亭》在明清時期閨閣女性中的傳播
　　　　　　　長江論壇　2007年第3期　頁87-90　2007年

2075 張筱梅　論明清時期《牡丹亭》的閨閣傳播
　　　　　　　南昌大學學報（人文社會科學版）　2007年第4期
　　　　　　　頁113-117　2007年7月

2076 王永恩　重合的意義——試論《牡丹亭》對晚明戲曲作品中小說題
　　　　　　　材的影響
　　　　　　　東南大學學報（哲學社會科學版）　2007年5期　頁
　　　　　　　113-117轉頁128　2007年9月

2077 鄭水松　一曲《牡丹亭》成就一個文化產業
　　　　　　　麗水日報　2007年12月1日　第1版

2078 謝擁軍　《牡丹亭》與明清女伶
　　　　　　　勵耘學刊（文學卷）　2007年第1期　頁119-131

2079 劉曉娟　中國戲曲與《牡丹亭》
　　　　　　　東北農業大學學報（社會科學版）　2008年第2期

2080 王曉崗　承前啟後《牡丹亭》——兼及明代文人傳奇的愛情觀
　　　　　　　湖北經濟學院學報（人文社會科學版）　2008年第5
　　　　　　　期　頁89-90　2008年5月

2081 謝雍君　「閨閣中多有解人」——《牡丹亭》與明清女讀者
　　　　　　　溫州大學學報（社會科學版）　2008年第4期　頁101-
　　　　　　　106　2008年7月

2082 徐宏圖　家傳戶誦滿浙江——《牡丹亭》在浙江戲曲史上的地位與
　　　　　　　影響

浙江藝術職業學院學報　2008年第2期　頁9-17　2008
年6月

2083 趙雅琴　明清江南閨閣女性《牡丹亭》接受研究
蘇州市　蘇州大學戲劇戲曲學碩士論文　2008年

2084 趙雅琴　盛開在閨閣中的牡丹──論明清女性對《牡丹亭》的接受
考試（教研版）　2008年第10期　頁109-110　2008年

2085 福　康　《牡丹亭》：豈獨傷心是小青
海內與海外　2008年第10期　頁74-75　2008年

2086 王省民　戲曲信息傳播的多樣化──對《牡丹亭》傳播形式的文化
考察
浙江藝術職業學院學報　2009年2期　頁18-24　2009
年6月

2087 未署名　《牡丹亭》主題公園將現身江西撫州
語文教學與研究　2009年第19期　頁2　2009年

2088 董　雁　明清江南閨閣女性的《牡丹亭》閱讀接受
東方叢刊　2009年第4期　頁216-230　2009年

2089 田　甜　《牡丹亭》的明清女性讀者群研究
上海市　復旦大學中國古代文學碩士論文　2009年

2090 萬　葉　從湯顯祖聽家鄉清曲談曲藝演唱《四夢》
江西文藝史料

2091 沈　毅　論明清時期女性對《牡丹亭》的解讀
內江師範學院學報　2010年第1期　頁79-81　2010年

2092 趙天為　《牡丹亭》續作探考──《續牡丹亭》與《後牡丹亭》
東南大學學報（哲學社會科學版）　2010年第3期
頁91-94轉頁128　2010年05月

2093 朱恒夫　《牡丹亭》後，又添情鍾──論晚清傳奇《蝶歸樓》

浙江藝術職業學院學報　2010年第1期　頁28-32
2010年3月

2094　王春陽　明代戲曲插圖中的白描藝術探微──以湯顯祖的《牡丹
亭》為例
文藝爭鳴　2011年第2期　頁95-97　2011年

2095　李月影　柳如是與《牡丹亭》
陝西教育學院學報　2011年1期　頁41-44　2011年3月

2096　曾　琪　新世紀《牡丹亭》傳播研究述評
四川戲劇　2011年第2期　頁71-74　2011年

2097　馮俊杰　明清士子眼中的《牡丹亭》
戲劇（中央戲劇學院學報）　2011年第3期　頁125-
135　2011年

2098　曹迎春　牡丹花開異域──《牡丹亭》海外傳播綜述
東華理工大學學報（社會科學版）　2011年第3期　頁
201-205　2011年9月

2099　朱偉明　《牡丹亭》文本閱讀與接受的特點及意義
戲曲研究　2011年第2期　頁136-150　2011年

2100　王英達　《牡丹亭》「至情」思想對明清女性創作的影響
名作欣賞　2012年第1期　頁153-154　2012年

2101　楊俊才　「牡丹」渡洋英倫香
文化交流　2012年第6期　頁10-13　2012年

2102　朱小平　從《牡丹亭》說到馮小青
群言　2012年第11期　頁39-41　2012年

2103　尹麗麗　從《牡丹亭》舞臺傳播看傳統戲曲的傳承
昆明學院學報　2012年第5期　頁60-63　2012年

2104　劉小龍　英雄自古出少年──記原創歌曲《牡丹亭》曲作者李彤
黃河之聲　2012年第19期　頁6-9　2012年

2105 林　山　《牡丹亭》作為修辭原型在後世文本中的復現

重慶廣播電視大學學報　2013年第1期　頁70-73　2013
年2月

2106 張晨妍　淺談《牡丹亭》對清代才子佳人小說的影響——以《聽月
樓》為例

北方文學（中旬刊）　2014年第5期　頁37-38　2014年

2107 張　玲　英語國家學者對《牡丹亭》的新解讀

劇本　2014年第7期　頁82-85　2014年

2108 汪　妍　美國漢學界的《牡丹亭》研究——以美國漢學為主

上海市　華東師範大學中國古代文學碩士論文　2014年

2109 黎　羌　湯顯祖《牡丹亭》與澳門宗教文藝

藝術百家　2014年第3期　頁150-156　2014年

2110 張元農　簡評《牡丹亭》題序傳播特色及功能

青年文學家　2014年第17期　頁64-65　2014年7月

2111 金偉明　湯顯祖的遂昌知縣經歷對《牡丹亭》創作的影響

戲劇之家　2015年第3期　頁18-19　2015年

2112 王春陽　論《牡丹亭》《桃花扇》戲曲插圖中女性主義對明清陶瓷
繪畫的影響

工業設計　2015年第11期　頁65-66　2015年

2113 劉小梅　從《牡丹亭》的三種交流方式看古典戲曲的困境

河南教育學院學報（哲學社會科學版）　2015年第2
期　頁35-38　2015年4月

2114 張元農　《牡丹亭》題序傳播研究

上海市　東華理工大學中國語言文學碩士論文　2015年

2115 王家琪　政治詮釋與情欲轉移：論晚清至1940年代《牡丹亭》的接
受情況

清華中文學報　第15期　頁161-188　2016年6月

2116 周宇、戴崇高　湯顯祖身後的遂昌：《牡丹亭》催生縣域發展之力
　　　　　小康　2016年第17期　頁84-86　2016年

2117 劉建明　論湯顯祖《牡丹亭》對晚明政權的銷蝕
　　　　　延安大學學報（社會科學版）　2016年第3期　頁72-
　　　　　77　2016年

2118 鄒　穎　從對牡丹亭的回應看再生緣的女性書寫及其文學史意義
　　　　　中國古代文學研究：視野與方法論集　下冊　頁392-
　　　　　405　北京市　中國人民大學出版社　2016年1月

2119 高璐夷　我國傳統戲曲文學走出去的思考與啟示——以《牡丹亭》
　　　　　在英語世界的傳播為例
　　　　　中國出版　2016年第9期　頁26-29　2016年6月

2120 儲常勝　中國戲曲在英語世界的傳播：以《牡丹亭》為例
　　　　　現代傳播　2016年第6期　頁165-166　2016年8月

2121 程　芸　湯顯祖《牡丹亭》東傳朝鮮王朝考述
　　　　　文學遺產　2016年第3期　頁19-28　2016年

2. 評價

2122 Melvin, Sheila　"Peony": Waiting for Another Miracle,"
　　　　　Wall Street Journal (Eastern Edition), Aug.27, 1998.

2123 No Name　"Peony" Ticket Holders Have Three Options
　　　　　New York Times, July.7, 1998.

2124 程　雲　漫談陳繼儒的《牡丹亭題詞》
　　　　　中國文化報　1999年5月20日

2125 Cameron, Lindsley　"The Peony Pavilion (opera revive)"
　　　　　Opera News, Nov. 1999 (iss.6), pp.86-87

2126 Von Buchau, Stephanie "Peony Pavilion (opera revive)"
       Opera News, July 1999, pp.59-60

2127 Ram, Jane "The Peony Pavilion (opera revive)"
       Opera News, June 1999, pp.22-24

2128 Pang, Cecelia "Peony Pavilion (revive)"
       Theatre Journal no. 1, 2000

2129 王淑瑾 《牡丹亭》與女性意識——明清女性觀眾眼中的《牡丹亭》
       湯顯祖首屆年會論文　浙江遂昌縣　浙江省文化廳主
       辦　2001年8月

2130 未署名 《牡丹亭》的思想價值
       中國湯顯祖文化網　http://www.txz-cul.com

2131 未署名 《牡丹亭》中國的莎士比亞
       中國湯顯祖文化網　http://www.txz-cul.com

2132 未署名 《牡丹亭》的文化啟示
       中國湯顯祖文化網　http://www.txz-cul.com

2133 Swatek, Catherine "Boundary Crossings: Peter Sellars's Production of
       Peony Pavilion,"
       Asian Theatre Journal, Spring, 2002

2134 Zeitlin, Judith T "My Year of Peonies"
       Asian Theatre Journal, Spring, 2002

2135 郭　梅 試論《紅樓夢》對《西廂記》《牡丹亭》女性意識的繼承
       和發展
       南京師大學報（社會科學版）　2005年第5期　頁124-
       129　2005年9月

2136 孫書磊 論晚明文論話語下的《牡丹亭》批評
       戲曲研究　2007年第1期　2007年

2137 王永健　何謂「鬧熱《牡丹亭》」──與黃天驥、徐燕琳先生商榷
　　　　　　中國古代小說戲劇研究叢刊　2008年第2期　頁212-
　　　　　　219　2008年

2138 趙山林　詠《牡丹亭》詩歌簡論
　　　　　　戲曲研究通訊　第5卷　頁1-16　2008年6月

2139 董曉榮　穿越時空的契合──《牡丹亭》與「小資」文學
　　　　　　消費導刊　2010年第7期　頁224-225　2010年

2140 仲方方　淺析《牡丹亭》在中國戲曲史上的地位與價值
　　　　　　黑河學刊　2010年第8期　頁56-58　2010年8月

2141 張艷麗　對「古典愛情」的解讀與顛覆──論余華《古典愛情》對
　　　　　　湯顯祖《牡丹亭》的戲仿與反諷
　　　　　　傳奇‧傳記文學選刊（理論研究）　2010年第10期
　　　　　　頁6-8　2010年

2142 丹尼爾‧布爾特　一部偉大的史詩　對湯顯祖《牡丹亭》的最新評價
　　　　　　劇本　2011年第2期　頁72-74　2011年

2143 黃　霖　《西廂記》、《琵琶記》、《牡丹亭》匯評述略
　　　　　　戲曲研究　2011年第2期　頁32-54　2011年

2144 鄒自振　世間只有情難訴──《牡丹亭》述評
　　　　　　閩江學院學報　2012年第6期　頁53-56轉頁62　2012
　　　　　　年11月

2145 汪　超　《牡丹亭》的接受評價與其經典地位的確立
　　　　　　安慶師範學院學報（社會科學版）　2012年第6期
　　　　　　頁11-14　2012年12月

（十四）外文譯本研究

1. 總論

2146 汪榕培　《牡丹亭》的英譯及傳播
　　　　　　外國語　1999年第6期　頁48-52　1999年

2147 汪榕培　《牡丹亭》的「集唐詩」及其英譯──《牡丹亭》譯後感
　　　　　　之二
　　　　　　外語與外語教學　1999年第11期　頁36-40　1999年

2148 汪榕培　杜麗娘的東方女子憂郁情結──《牡丹亭》譯後感之一
　　　　　　外語與外語教學　1999年第10期　頁51-54轉頁64
　　　　　　1999年

2149 Wang, Ching-yu John　"Multiflorate Splendour-A Commentary on
　　　　　　Three English Translations of Scene 10 of The *Peony
　　　　　　Pavilion*," *Journal of Oriental Studies*, Vol.46, no.1 (2013).

2150 王靖宇　「姹紫嫣紅」──《牡丹亭・驚夢》三家英譯評點[*]
　　　　　　徐永明、陳靝沅主編　英語世界的湯顯祖研究論著選譯
　　　　　　頁252-274　杭州市　浙江古籍出版社　2013年3月

2151 張豔紅　操控理論下《牡丹亭》兩個英譯本的對比研究
　　　　　　鄭州市　鄭州大學英語語文文學碩士論文　2014年

2152 劉　剛　基於語料庫的譯者風格研究──以昆曲《牡丹亭》的兩個
　　　　　　英譯本為例
　　　　　　天津市　天津科技大學外國語言學及應用語言學碩士
　　　　　　論文　2014年

---

[*] 此所謂三家英譯是指張心滄（H. C. Chang）、白之（Cyril Birch）、宇文所安（Stephen
　　Dwen）三人所譯《牡丹亭》〈驚夢〉。

2153 崔曉娟　從釋意理論視角談《牡丹亭》翻譯中譯者的主體性
　　　　　　蘇州市　蘇州大學外國語言學及應用語言學碩士論文
　　　　　　2014年

2154 黃志芳　目的論視角下的中國古典戲劇翻譯研究——以《牡丹亭》
　　　　　的三個英譯本為例
　　　　　　南昌市　江西財經大學英語語言文學碩士論文　2014
　　　　　　年

2155 緱　月　目的論理論下的《牡丹亭》兩譯本的文化負載詞對比分析
　　　　　　上海市　上海外國語大學英語語言文學碩士論文
　　　　　　2014年

2156 蔡　菁　關聯理論視角下《牡丹亭》兩個英譯本隱喻翻譯的對比研究
　　　　　　武漢市　湖北大學英語語言文學碩士論文　2014年

2157 王丹丹　贛劇英譯在跨文化交際中的作用——以湯顯祖《牡丹亭》
　　　　　為例
　　　　　　商　2014年第46期　頁90-91　2014年

2158 李亞棋　翻譯美學視閾下《牡丹亭》的審美意境翻譯
　　　　　　雞西大學學報　2014年第12期　頁76-78　2014年11月

2159 孫　宇　中國文學「走出去」譯介模式研究——以《牡丹亭》為例
　　　　　　參花　2014年第23期　頁103-104　2014年1月

2160 王子慕　《牡丹亭》英譯本中的文化意象研究現狀分析
　　　　　　新校園（中旬刊）　2014年第2期　頁14　2014年5月

2161 左玲玲　譯者的女性主義意識與《牡丹亭》的英譯
　　　　　　青年與社會　2014年第16期　頁375-375　2014年8月

2162 段清香　從互文性評析英譯《牡丹亭》——兼評昆曲翻譯
　　　　　　英語廣場（下旬刊）　2014年第12期　頁62-63　2014
　　　　　　年1月

2163 羅進民　《牡丹亭》兩個英譯本的後殖民翻譯理論解讀
　　　　　　延邊教育學院學報　2014年第2期　頁20-22　2014年
　　　　　　5月

2164 朱　玲　昆劇翻譯的多模態視角探索──以《牡丹亭》英譯為例
　　　　　　蘇州市　蘇州大學英語語言文學博士論文　2015年

2165 鄭意長　《牡丹亭》在英語世界的譯介與傳播評析
　　　　　　英語教師　2015年第19期　頁81-83　2015年

2166 趙徵軍　中國戲劇典籍譯介研究：以《牡丹亭》的英譯與傳播為中心
　　　　　　北京市　中國社會科學出版社　2015年

2167 趙　快　從歸化和異化的角度分析《牡丹亭》〈驚夢〉的英譯本
　　　　　　學理論　2015年第12期　頁116-117　2015年

2168 楊麗鳳　語境學視角下的《牡丹亭》的英譯技巧〉
　　　　　　濟源職業技術學院學報　2015年第3期　頁114-116
　　　　　　2015年1月

2169 周　瑩　《牡丹亭》英譯綜述
　　　　　　河北廣播電視大學學報　2015年第1期　頁39-41
　　　　　　2015年4月

2170 杜麗娟　譯介學視角下《牡丹亭》中文化意象的傳遞
　　　　　　昭通學院學報　2015年第4期　頁94-98　2015年9月

2171 張翠進　《牡丹亭》英譯本的翻譯倫理學視角對比淺析
　　　　　　海外英語（上）　2015年第12期　頁168-171　2015年
　　　　　　3月

2172 賴　鵬　從語言意識形態角度看《牡丹亭》譯本中隱性情態的顯化
　　　　　　英譯
　　　　　　現代語文（語言研究）　2015年第11期　頁137-141
　　　　　　2015年12月

2173 賴　鵬　基於福柯的微觀權力論看《牡丹亭》譯者對隱性情態意義
　　　　　　的顯性重構
　　　　　　　　　現代語文（語言研究）　2015年第4期　頁129-134
　　　　　　　　　2015年5月

2174 王　璐　漢籍外譯中的東方情調化翻譯研究──以《牡丹亭》兩個
　　　　　　英譯本為例
　　　　　　　　　佳木斯職業學院學報　2015年第10期　頁306　2015
　　　　　　　　　年11月

2175 杜麗娟　《牡丹亭》譯本中文化意象的有效傳遞
　　　　　　　　　湖北經濟學院學報（人文社會科學版）　2016年第7
　　　　　　　　　期　頁140-142　2016年7月

2176 劉　琰　基於視頻新媒體的中國古典戲劇字幕英譯研究──以《牡
　　　　　　丹亭》為例
　　　　　　　　　河北北方學院學報（社會科學版）　2016年第1期
　　　　　　　　　頁41-44　2016年4月

2177 徐　溯　《牡丹亭》譯本對比研究
　　　　　　　　　外交學院英語語言文學碩士論文　2004年

2178 華　瑋　評 Catherine C. Swatek《Peony Pavilion Onstage: Four Centuries
　　　　　　in the Career of a Chines Drama》
　　　　　　　　　中國文哲研究集刊　第26期　頁401-404　2005年3月

2179 熊靈燕　《牡丹亭》兩譯本的文化分析
　　　　　　　　　蘇州市　蘇州大學外國語言學及應用語言學碩士論文
　　　　　　　　　2006年

2180 樊靜華　從語境的層次性看《牡丹亭》的兩個英譯本
　　　　　　　　　南京市　南京師範大學英語語言文學碩士論文　2008年

2181 許方圓　社會符號學視角下的《牡丹亭》英語譯本對比研究
　　　　　　　　　外交學院外國語言學與應用語言學碩士論文　2008年

2182 周　韻　翻譯・文化・美感——以英譯《牡丹亭》諸版本為例
　　　　　　蘇州科技學院學報（社會科學版）　2010年第5期
　　　　　　頁95-98　2010年9月

2183 柯文婷　功能對等理論下《牡丹亭》英譯本賞析
　　　　　　海外英語　2011年第4期　頁150轉頁152　2011年4月

2184 文　軍　國內《牡丹亭》英譯研究：評述與建議
　　　　　　英語研究　2011年第3期　頁48-53　2011年9月

2185 向　鵬　《牡丹亭》翻譯研究現狀評述
　　　　　　東華理工大學學報（社會科學版）　2012年第1期
　　　　　　頁1-6　2012年3月

2186 李曉靜　《牡丹亭》英譯本的比較評析——兼談戲劇翻譯
　　　　　　湖南科技學院學報　2012年第9期　頁140-143　2012
　　　　　　年9月

2187 禹琳琳　《牡丹亭》稱謂語的英譯語料庫輔助研究
　　　　　　大連市　大連海事大學英語語言文學碩士論文　2012年

2188 楊　玲　論《牡丹亭》中文化因素的翻譯
　　　　　　劍南文學（經典教苑）　2012年第3期　頁133轉頁
　　　　　　135　2012年

2. 汪譯本

2189 汪榕培　英譯《牡丹亭》選場
　　　　　　（1）外語與外語教學　1999年第1期　頁44-49　1999年
　　　　　　（2）外語與外語教學　1999年第2期　頁45-55　1999年
　　　　　　（3）外語與外語教學　1999年第3期　頁30-36　1999年
　　　　　　（4）外語與外語教學　1999年第4期　頁40-47　1999年
　　　　　　（5）外語與外語教學　1999年第5期　頁39-48　1999年

（6）外語與外語教學　1999年第6期　頁43-52　1999年

（7）外語與外語教學　1999年第7期　頁35-43　1999年

（8）外語與外語教學　1999年第8期　頁47-53　1999年

（9）外語與外語教學　1999年第9期　頁33-41　1999年

2190 孫法理　評汪譯《牡丹亭》

外語與外語教學　2001年第12期　頁44-46　2001年

2191 郭著章　談汪譯《牡丹亭》

外語與外語教學　2002年第8期　頁56-59　2002年

2192 張　政　文化與翻譯──讀汪榕培《牡丹亭》英譯本隨想

西安外國語學院學報　2004年第1期　頁42-44　2004
年3月

2193 李學欣　互文性與汪榕培《牡丹亭》的典故英譯

濟南市　河北師範大學英語語言文學碩士論文　2006年

2194 李學欣　汪榕培《牡丹亭》英譯本文學典故翻譯技巧探析

長城　2010年第10期　頁105-106　2010年

2195 楊蒲慧　從文本功能的角度剖析汪榕培英譯《牡丹亭》

太原市　山西師範大學外國語言學及應用語言學碩士
論文　2014年

2196 王　昕　從闡釋學角度看中國古典戲劇的翻譯──以汪榕培英譯版
《牡丹亭》為例

南京市　南京財經大學英語語言文學碩士論文　2014年

2197 張　玲　湯顯祖戲劇英譯的副文本研究──以汪譯《牡丹亭》為例

中國外語　2014年第3期　頁106-111　2014年3月

2198 汪豔珍　傳神達意──汪榕培戲劇唱詞翻譯技巧研究──以《牡丹
亭》為例

合肥市　合肥工業大學英語筆譯碩士論文　2015年

3. 白譯本

2199 Swatek, Catherine. "Boundary Crossings: Peter Sellar's Production of Peony Pavilion," *Asian Theatre Journal* 19, no.1 (2002): 147-58.

2200 高韻蘭　《牡丹亭》伯奇譯本與汪譯本中隱喻的對比研究
　　　　　大連市　大連海事大學英語語言文學碩士論文　2009年

2201 郭　沙　白芝的《牡丹亭》英譯本序言中的術語翻譯研究
　　　　　教育教學論壇　2015年第21期　頁261-262　2015年5月

4. 其他

2202 金瑩瑞　從順應論視角看許譯《牡丹亭》[1]
　　　　　鄭州市　鄭州大學外國語言學及應用語言學碩士論文
　　　　　2014年

2203 趙征軍　楊憲益、戴乃迭英譯《牡丹亭》研究
　　　　　三峽大學學報（人文社會科學版）　2015年第3期
　　　　　頁104-109　2015年5月

（十五）文獻目錄

2204 李精耕　從近三十年來國內學術期刊論文看湯顯祖研究
　　　　　求索　2007年第11期　183-185轉頁146　2007年

2205 王燕飛　二十世紀《牡丹亭》研究綜述
　　　　　戲劇藝術　2005年第4期　頁33-43　2005年

1　「許譯《牡丹亭》」指許淵沖譯本。

2206 郭英德　《牡丹亭》傳奇現存明清版本敘錄

戲曲研究　2006年第3期　頁18-39　2006年

2207 王雪松；蔣小平　20世紀以來《牡丹亭》主題研究綜述

江蘇第二師範學院學報　2014年第10期　頁75-78
2014年

七　南柯記

（一）版本

1. 清以來刊本

2208 王文章、劉文峰、張鳳翼、湯顯祖　南柯記

北京市　學苑出版社　2010年（傅惜華藏古典戲曲珍
本叢刊7）

2. 點校本

2209 張光前校讀　南柯記

北京市　外文出版社　2006年
長沙市　湖南人民出版社　2006年

2210 高　明著、錢南揚校注　南柯夢記校注

北京市　中華書局　2009年11月

3. 外文譯本

1. Tang, Xianzu（湯顯祖）　*A Dream under the Southern Bough*（南柯
記）

Beijing: Foreign Languages Press, 2003

（二）概述

（三）本事探源

2221 龔重謨　二仙點化邯鄲夢（故事）

　　　　　　　湯顯祖研究通訊　2005年第1期　杭州　中國戲曲會
　　　　　　　湯顯祖研究會　2005年
2222 高　方　論湯顯祖重塑李益形象的精神旨歸

　　　　　　　綏化學院學報　2006年第1期　頁64-66　2006年2月

（四）思想研究

2223 田　松　試論《南柯記的荒誕特徵》

　　　　　　　中國文化報　2000年6月15日
2224 吳振清　試論《南柯記》、《邯鄲記》的「情」

　　　　　　　紀念湯顯祖誕辰450周年學術研討會論文　江西省撫
　　　　　　　州市政府主辦　2000年8月23-25日
2225 徐　宏　曲肱禪囈——湯顯祖《南柯記》禪宗思想雜談

　　　　　　　戲曲藝術　2005年第1期　頁31-35　2005年2月
2226 李敏星　湯顯祖「二夢」接受研究

　　　　　　　武漢市　華東師範大學中國古代文學碩士論文　2007年
2227 劉　琳　假作真時真亦假——論《南柯記》的夢幻與現實

　　　　　　　甘肅高師學報　2008年第4期　頁26-28　2008年
2228 華　瑋　一點情千場影戲——論〔（明）湯顯祖著〕《南柯夢》裡的
　　　　　　　視覺與宗教啟悟的關係

　　　　　　　人文中國學報　第14卷　頁95-111　2008年9月
2229 黃慎慧　從《南柯記》、《邯鄲記》看湯顯祖的佛道思想及情觀

　　　　　　　明道通識論叢　第9卷　頁93-118　2010年12月

2230 黃慎慧　湯顯祖情觀形成與書寫之研究——以《南柯》、《邯鄲》為
　　　　　中心
　　　　　　　　臺北市　國立臺灣師範大學國文學系碩士論文　2010年

2231 宋霞霞　佛教思想對《南柯記》創作的影響
　　　　　　　　滄州師範專科學校學報　2011年第1期　頁12-13轉頁
　　　　　　　　16　2011年3月

2232 宋霞霞　《南柯記》的悲劇意蘊解讀
　　　　　　　　承德民族師專學報　2011年第3期　頁30-32　2011年
　　　　　　　　8月

2233 王宇明　《南柯夢》主題成因與淳于棼形象分析
　　　　　　　　文教資料　2011年36期　頁38-39　2011年12月
　　　　　　　　南昌教育學院學報　2012年第2期　頁48-49　2012年

2234 龐欽月　文化史與古代文學研究釋例——以湯顯祖《南柯記》與佛
　　　　　　教文化為例
　　　　　　　　北方文學（下旬）　2012年第11期　頁196　2012年11月

2235 魏遠征　湯顯祖《南柯記》佛理禪趣探論
　　　　　　　　安慶師範學院學報（社會科學版）　2014年第6期
　　　　　　　　頁15-19　2014年

2236 王建軍　《南柯記》的情節結構與思想表達
　　　　　　　　南京師大學報（社會科學版）　2014年5期　頁127-
　　　　　　　　134　2014年

2237 李璿　　湯顯祖《南柯記》創作思想淺談
　　　　　　　　雪蓮　2015年第8期　頁32-33　2015年

2238 張福海　湯顯祖《南柯記》人文精神分析
　　　　　　　　東華理工大學學報（社會科學版）　2016年第3期
　　　　　　　　頁231-237　2016年

2239 張福海　深情的痛苦與「假實證幻」的精神超越──湯顯祖《南柯記》人文精神分析

民族藝術研究　2016年第4期　頁54-64　2016年

（五）寫作藝術

2240 李淑平　論《邯鄲記》和《南柯記》中的「夢」的作用

福建教育學院學報　2002年第4期　頁26-28　2002年

2241 肖魯云　《南柯夢記》藝術特色研究

文學教育（下）　2009年第9期　頁40-41　2009年

2242 郁麗燕　《南柯一夢》雙音詞研究

語文學刊　2010年第21期　頁73-74　2010年

2243 李　燕　《南柯記》、《邯鄲記》疑問標記研究

山東市　曲阜師範大學漢語言文字學碩士論文　2012年

2244 李　芳　情入夢中夢是情──試論《南柯太守傳》與《南柯記》的內蘊差別

商　2014年第13期　頁69-69轉頁58　2014年

2245 牛　荃　淺析《南柯記》對中國山水畫技法的借鑒

赤峰學院學報（哲學社會科學版）　2016年第5期　頁229-231　2016年

2246 史風彩　戲劇中的夢幻與宗教──湯顯祖《南柯記》與卡爾德隆《人生如夢》之比較

英語廣場　2014年第9期　頁38-40　2014年

（六）改編劇本

2247 未署名　上戲上昆聯手打造《南柯記》
　　　　　　　上海戲劇　2010年4期　頁53

（七）影響與評價

2248 孫小迪　開百年先河，作盛世佳音——紀念湯顯祖逝世400周年
　　　　　　　《南柯夢》觀後有感
　　　　　　　戲劇之家　2016年第22期　頁4-6　2016年
2249 鄒自振　一場人生秋天的失落之夢——評湯顯祖《南柯記》
　　　　　　　藝術評論　2016年第8期　頁11-17　2016年

（八）文獻目錄

2250 毛小曼　20世紀對《南柯記》《邯鄲記》研究概述
　　　　　　　遼寧教育行政學院學報　2005年第9期　頁85-87
　　　　　　　2005年9月

八　邯鄲記

（一）版本

1. 點校本

2251 湯顯祖　邯鄲記　二卷
　　　　　　北京市　學苑出版社　2003年

2252 汪榕培譯、徐朔方箋校　邯鄲記
　　　　　　北京市　外語教學與研究出版社　2003年

2253 李　曉、金文京　邯鄲夢記校注
　　　　　　上海市　上海古籍出版社　279頁　2004年12月

2254 吳秀華　湯顯祖《邯鄲夢記》校注
　　　　　　廣西市　廣西教育出版社　341頁　2004年

2255 陳志云　《邯鄲夢記》校注本兩種述評
　　　　　　戲劇文學　2008年第8期　頁98-101

2. 曲譜

2256 章軍華　湯顯祖《邯鄲記》曲牌唱腔音樂意義
　　　　　　撫州師專學報　2000年第3期　頁37-41轉頁102　2000
　　　　　　年

3. 外文譯本

2257 汪榕培　英譯《邯鄲記》選場（一）
　　　　　　外語與外語教學　2001年第7期　頁36-41　2001年

2258 許　可　從接受理論看汪榕培的《邯鄲記》英譯

　　　　　　石家莊市　河北師範大學外國語言學及應用語言學碩
　　　　　　士論文　2015年

2259 李　燕　副文本理論對典籍英譯的啟示——以湯顯祖《邯鄲記》英
　　　　　　譯本為例
　　　　　　新校園（上旬刊）　2016年第4期　頁164-164　2016年

（二）概述

2260 姜姈妹　湯顯祖邯鄲夢記研究
　　　　　　臺北市　國立臺灣師範大學國文研究所碩士論文
　　　　　　1988年

2261 李　曉　湯顯祖及其《邯鄲記》
　　　　　　戲曲研究　2000年第0期　頁160-176　2000年

2262 易　棟　《南柯記》、《邯鄲記》探析
　　　　　　紀念湯顯祖誕辰450周年學術研討會論文　江西省撫
　　　　　　州市政府主辦　2000年8月23-25日

2263 金鴻達　「後二夢」的悲世情節
　　　　　　紀念湯顯祖誕辰450周年學術研討會論文　江西省撫
　　　　　　州市政府主辦　2000年8月23-25日

2264 未署名　邯鄲記故事再創作的深層目的
　　　　　　中國湯顯祖文化網　http://www.txz-cul.com

2265 未署名　邯鄲記研究
　　　　　　中國湯顯祖文化網　http://www.txz-cul.com

2266 未署名　看湯顯祖《邯鄲記》中的再創作風格
　　　　　　中國湯顯祖文化網　http://www.txz-cul.com

2267 未署名　《邯鄲記》
　　　　　　中國湯顯祖文化網　http://www.txz-cul.com

2268 董　曄　論《邯鄲記》
　　　　　　烏魯木齊市　新疆師範大學中國古代文學碩士論文
　　　　　　2004年

2269 李丹陽　精神的飄泊和不朽之私的失落：《南柯記》《邯鄲記》
　　　　　　寧夏大學學報（人文社科版）　2005年第2期　頁59-
　　　　　　61　2005年

2270 鄭艷玲　論《邯鄲記》
　　　　　　河北工程大學學報（社會科學版）　2007年第4期
　　　　　　頁38-40　2007年12月

2271 魏　攀　論《邯鄲記》
　　　　　　武漢市　華中師範大學中國古代文學碩士論文　2009年

2272 有澤晶子　湯顯祖《邯鄲記》考
　　　　　　文學論藻　第85輯　頁91-115　2011年2月

2273 Yung, Sai-shing. "A Critical Study of 'Han-tan chi'." PhD diss.,
　　　　　　Princeton University, 1992.

2274 容世誠　《邯鄲記》的表演場合
　　　　　　徐永明、陳靝沅主編　英語世界的湯顯祖研究論著選
　　　　　　譯　頁330-349　杭州市　浙江古籍出版社　2013年
　　　　　　3月

（三）本事探源

2275 李　曉　《邯鄲記》本事考及主要版本
　　　　　　藝術百家　1999年第3期　頁60-66　1999年

2276 張哲俊　母題與嬗變：從《枕中記》到日本謠曲《邯鄲》
　　　　　　　外國文學評論　1999年第4期　頁106-114　1999年
2277 吳海燕　「枕中一夢」的嬗變——從《楊林》、《枕中記》到《邯鄲記》
　　　　　　　邯鄲學院學報　2005年第1期　頁47-50　2005年3月

（四）思想研究

2278 徐翠先　論《邯鄲記》的道教故事題材和社會批判主題
　　　　　　　中華戲曲　1999年第1期　頁416-423　1999年
2279 吳振清　試論《南柯記》、《邯鄲記》的「情」
　　　　　　　紀念湯顯祖誕辰450周年學術研討會論文　江西省撫
　　　　　　　州市政府主辦　2000年8月23-25日
2280 程建忠　《邯鄲夢》思想內容新議
　　　　　　　成都大學學報　2001年第1期　頁48-50　2001年
2281 吳秀華　解讀人生何其悲！——試論湯顯祖《邯鄲夢記》的思想
　　　　　　　意蘊
　　　　　　　河北師範大學學報（哲學社會科學版）　2004年第5
　　　　　　　期　頁98-106　2004年9月
2282 鄭艷玲　《邯鄲記》的世俗內容與文人體驗
　　　　　　　河北科技大學學報（社會科學版）　2008年第2期
　　　　　　　頁66-70　2008年6月
2283 楊　明　從《邯鄲記》解讀湯顯祖的積極人生態度
　　　　　　　華章　2009年第15期　頁40轉頁47　2009年
2284 楊　明　從《邯鄲記》解讀湯顯祖的忠君思想
　　　　　　　成功（教育）　2009年第9期　頁281　2009年9月

2285　董　曄　儒學文化體系下的戲劇嘗試——論湯顯祖《邯鄲記》中的
　　　　　　「情」
　　　　　　　　　戲劇文學　2010年第10期　頁32-36　2010年

2286　劉艷卉　論《邯鄲夢》的行動性——從《牡丹亭》與《邯鄲夢》的
　　　　　　結構談起
　　　　　　　　　戲曲研究　2012年1期　頁274-288　2012年

2287　宿東明　湯顯祖戲劇創作中的夢幻思想研究——以《邯鄲記》為例
　　　　　　　　　合肥市　安徽大學戲劇戲曲學碩士論文　2014年

（五）寫作藝術

2288　Chen, Catherine Wang. "*The Art of Satire in the 'Han-tan meng chi'*."
　　　　　　　　　Ph.D diss, University of Minnesota, 1975.

2289　華　瑋　唱一個殘夢到黃粱——論《邯鄲夢》的飲食和語言
　　　　　　　　　戲劇研究　第5卷　頁1-26　2010年1月

2290　李　燕　《南柯記》、《邯鄲記》疑問標記研究
　　　　　　　　　濟南市　曲阜師範大學漢語言文字學碩士論文　2012年

（六）人物研究

2291　王允亮　略論《邯鄲記》中的盧生
　　　　　　　　　戲劇文學　2006年第4期　頁62-64　2006年

2292　鄭艷玲　簡析《邯鄲記》中的盧生
　　　　　　　　　邯鄲學院學報　2007年第4期　頁71-75　2007年12月

2293　董　曄　《邯鄲記》盧生形象新論
　　　　　　　　　語文學刊　2011年第1期　頁60-61　2011年

2294 鄭艷玲　解讀湯顯祖《邯鄲記》中的女性形象
　　　　　　蘭州學刊　2008年第6期　頁159-162　2008年
2295 鄭艷玲　生機勃勃的強勢形象——簡論《邯鄲記》中的崔氏
　　　　　　時代文學（雙月上半月）　2008年第1期　頁44-45
　　　　　　2008年
2296 白艷紅　配角也精彩——雙性同體理論下《邯鄲記》中崔氏的重新
　　　　　　解讀
　　　　　　時代文學（下半月）　2010年第1期　頁141-142　2010年
2297 未署名　從牡丹亭、邯鄲記看寶黛二人之悲劇
　　　　　　中國湯顯祖文化網　http://www.txz-cul.com

（七）比較研究

2298 汪榕培　《邯鄲記》中的官稱及其英譯
　　　　　　英語研究　2002年第2期　頁29-31轉頁80　2002年12月
2299 汪榕培　英譯《邯鄲記》研究
　　　　　　錦州師範學院學報（哲學社會科學版）　2003年第1
　　　　　　期　頁109-117　2003年1月
2300 盧惠淑　《枕中記》與《邯鄲記》的比較
　　　　　　中國文化研究　第11卷　頁161-177　2007年
2301 張　玲　《邯鄲記》和《麥克白》中女性形象的異同
　　　　　　蘇州大學學報（哲學社會科學版）　2008年第3期
　　　　　　頁82-85　2008年5月
2302 楊麗麗　汪榕培英譯《邯鄲記》的文化傳輸
　　　　　　石家莊市　河北師範大學外國語言學及應用語言學碩
　　　　　　士論文　2009年

2303 董上德　《李泌傳》與《邯鄲記》──管窺湯顯祖的歷史意識與時
代感受的交互關係
東華理工大學學報（社會科學版）　2016年第3期
頁225-230轉頁244　2016年

（八）改編劇本

2304 陶學輝　邯鄲夢記（贛劇弋陽腔）
影劇新作　2000年第3期　2000年

2305 羅　麗　原來粵劇可以如此精彩──觀《夢驚邯鄲》有感
南國紅豆　2003年第1期　頁23-24　2003年

2306 梁鼎英　粵劇改革有新篇──由《夢驚邯鄲》說起
南國紅豆　2003年第2期　頁21-22　2003年

2307 魏　捷　再做「追夢人」──觀計鎮華《邯鄲夢》有感
上海戲劇　2006年第1期　頁18　2006年

2308 尹　蓉　論明清時期《邯鄲記》的演出
戲曲藝術　2007年第2期　頁52-55　2007年5月

2309 劉厚生　上昆的《邯鄲夢》
戲劇之家　2007年第4期　頁39-44　2007年

2310 季翠霞　馮夢龍對《牡丹亭》《邯鄲夢》的改編
四川戲劇　2009年第6期　頁93-947　2009年

2311 張銘榮　仿古不復古，創新不離譜《邯鄲夢》導演札記
上海戲劇　2009年第3期　頁12　2009年

2312 蔡曙鵬　新加坡越劇版《邯鄲夢》在印尼皇宮中的演出
文化遺產　2011年第4期　頁26-32　2011年

2313 王小巖　臧懋循改本批評語境中的朱墨本《邯鄲夢記》
　　　　　　　　文化遺產　2012年第2期　頁97-102　2012年

2314 魏　攀　論《邯鄲記》的當代演出
　　　　　　　　安徽文學（下半月）　2012年10月　頁84-85　2012年

（九）影響與評價

2315 王南平　《邯鄲夢》創作成就淺談
　　　　　　　　高等函授學報（哲學社會科學版）　2000年第4期
　　　　　　　　頁26-28　2000年8月

2316 賞　坤　名家紛評《邯鄲夢》
　　　　　　　　上海戲劇　2005年第9期　頁11-12　2005年

2317 張燕瑾　《邯鄲記》評議
　　　　　　　　戲曲研究　2007年第1期　頁12-21　2007年

2318 趙山林　論湯顯祖《邯鄲記》的成就及其影響
　　　　　　　　戲曲研究　2007年第1期　頁22-31　2007年

2319 鄭艷玲　經濟視角下的《邯鄲記》解讀
　　　　　　　　戲劇（中央戲劇學院學報）　2008年第2期　頁106-
　　　　　　　　117　2008年

2320 鄒自振　《邯鄲記》出評
　　　　　　　　閩江學院學報　2010年第3期　頁95-106　2010年5月

2321 鄒自振　世上人夢回時心自忖──評《邯鄲記》
　　　　　　　　閩江學院學報　2011年第1期　頁84-89　2011年1月

2322 王德保　舉世方熟邯鄲一夢──《邯鄲記》述評
　　　　　　　　閩江學院學報　2012年第6期　頁63-67　2012年11月

2323 毛宜敬　《邯鄲記》與《南柯記》明清時期的傳播研究
　　　　　　　　南昌市　江西師範大學中國古代文學碩士論文　2012年

九　湯沈之爭

2324 孫小英　沈璟與湯顯祖之比較研究
　　　　　　臺北市　國立政治大學中國文學系研究所碩士論文
　　　　　　1975年

2325 鐘雪寧　所謂「湯、沈之爭」的形成與發展
　　　　　　臺北市　國立臺灣大學中國文學研究所碩士論文
　　　　　　1995年

2326 徐定寶　從凌濛初的《譚曲雜札》看明代曲壇的「沈、湯之爭」
　　　　　　浙江學刊　1997年第6期　頁96-99　1997年

2327 吳建國　「湯沈之爭」與雅俗文化選擇
　　　　　　中國文學研究　1998年第3期　頁11-17　1998年

2328 吳林抒　試論湯顯祖與沈璟之爭
　　　　　　撫州師專學報　2000年第3期　頁90-92　2000年9月

2329 程　雲　有無之際──「湯沈之爭」與晚明戲曲主潮芻議
　　　　　　戲劇　2001年第4期　頁79-85　2001年

2330 宋子俊　關於湯、沈之爭的再思考──兼論歷史劇的改編及現代戲
　　　　　　的創作
　　　　　　社科縱橫　2001年第6期　頁52-53轉頁56　2001年

2331 程　雲　20世紀後半葉湯顯祖、沈璟研究述評
　　　　　　戲曲研究　2002年第1期　頁41-58　2002年

2332 呂效平　戲劇的「音律焦慮」與「時空焦慮」──從「湯沈之爭」
　　　　　　和《熙德》之爭看中、歐戲劇的不同質
　　　　　　文學評論　2002年第3期　2002年

2333 陳　軍　論「湯、沈之爭」
　　　　　　（上）襄樊職業技術學院學報　2003年第4期　頁25-

27　2003年8月

（下）襄樊職業技術學院學報　2003年第6期　頁61-64　2003年12月

2334 俞為民　明代戲曲文人化的兩個方面──重評湯沈之爭

東南大學學報　2004年第1期　頁96-102　2004年

2335 司俊琴　再論湯沈之爭及王驥德的評價問題

蘭州大學學報（社會科學版）　2004年第4期　頁60-63　2004年7月

2336 陳偉娜　重論湯顯祖《牡丹亭》之音律及「湯沈之爭」的曲學背景

溫州師範學院學報　2005年第4期　頁34-41　2005年8月

2337 周　秦　「沈湯之爭」的歷史觀照

戲曲研究　2005年第1期　頁85-101　2005年

2338 李昕欣　貼近地面，還是指向天堂──我看「沈湯之爭」的本質

中文字學指導　2005年第2期　頁58-62　2005年

2339 周　秦　沈湯之爭的歷史觀照

華瑋主編　湯顯祖與牡丹亭（下）　頁781-802　臺北市　中央研究院中國文哲研究所　2005年12月

2340 顧聆森　昆劇的市民話題「湯沈之爭」新解讀

中國戲劇　2006年第4期　頁30-32　2006年

2341 劉召明　從依字聲行腔與南曲用韻看湯沈之爭的曲學背景與論爭實質

戲劇藝術　2006年第3期　頁49-56　2006年

2342 陳　冬　對「沈湯之爭」的再認識

上海戲劇　2006年第6期　頁38-40　2006年

2343 索俊才　略論沈、湯的戲曲創作理論及其影響

內蒙古師範大學學報（哲學社會科學版）　2007年第2期　頁74-77　2007年3月

2344 崔　薇　戲劇劇本的文學價值和表演價值——「沈湯之爭」之我見
　　　　　　文教資料　2008年第4期　頁11-12　2008年2月

2345 陳維昭　湯沈之爭與晚明曲學形態
　　　　　　文化遺產　2008年第3期　頁33-37　2008年

2346 劉淑麗　建國以來「湯沈之爭」研究綜述
　　　　　　戲曲藝術　2008年第3期　頁27-32　2008年8月

2347 汪　超　重評「湯沈之爭」
　　　　　　戲劇文學　2009年第1期　頁90-93　2009年

2348 馮俊杰　沈璟、湯顯祖批評印象談
　　　　　　藝術百家　2009年第4期　頁134-137轉頁97　2009年

2349 王　維　從「湯沈之爭」看湯顯祖音樂美學思想的形成
　　　　　　天津音樂學院學報　2010年第3期　頁48-55　2010年

2350 魏城璧　從湯沈之爭看馮夢龍的戲曲改編
　　　　　　戲曲藝術　2010年第4期　頁50-54　2010年

2351 馬真明　湯沈之爭及「雙美」的可能性
　　　　　　重慶科技學院學報（社會科學版）　2011年第11期
　　　　　　頁114-115轉頁135　2011年

2352 李亦輝　宗元視野下的湯沈之爭
　　　　　　藝術評論　2012年第11期　頁80-84　2012年

2353 廖　奔　萬歷劇場三家論——徐渭、湯顯祖、沈璟
　　　　　　戲劇：中國與東西方　頁717-192

2354 汪　超　困惑、身份、地域：論「湯沈之爭」的錯位鳴爭
　　　　　　古代文學理論研究　第38輯　頁161-178　2014年6月

十　紀念活動

2355　葉　青　紀念湯顯祖逝世380周年學術座談會綜述
　　　　　　　　江西社會科學　1997年第1期　頁108-109　1997年

2356　未署名　一個未被充分理解的文化巨人——在全國紀念湯顯祖逝世
　　　　　370周年學術討論會上的發言
　　　　　　　　戲劇　1997年第1期　頁84-87　1997年

2357　No Name　"A Symposium of Fers Look at the Forbidden,"
　　　　　　　　New York Times, July.13, 1998.

2358　West Stephen H　Peony Pavilion Symposium Berkely, CA: U C
　　　　　　　　Berkeley, March 6-7, 1999.

2359　Von Buchau Stephanie　Berkeley, CA
　　　　　　　　Opera News, July 1999, pp.59-60

2360　王韵書　昆劇《牡丹亭》研討會紀實
　　　　　　　　上海藝術家　1999年第6期　頁69-71　1999年

2361　吳龍興　文采、勇氣、智慧——為紀念湯顯祖450周年而作
　　　　　　　　江西文藝史料　2000年

2362　董漢章　個性解放任重道遠——為紀念湯顯祖誕辰450周年而作
　　　　　　　　江西文藝史料　2000年

2363　劉　云　德藝雙馨的東方戲劇巨匠——紀念偉大戲劇家湯顯祖誕辰
　　　　　450周年
　　　　　　　　江西文藝史料　2000年

2364　胡曉加、胡德　戲劇大師湯顯祖誕辰450周年慶
　　　　　　　　江西文藝史料　2000年

2365　康云山　一代宗師戲演千秋——紀念湯顯祖誕辰450周年學術研討
　　　　　會綜述
　　　　　　　　中國文化報　2000年11月2日

2366 未署名　紀念湯顯祖誕辰450周年學術討論會綜述
　　　　　　中國湯顯祖文化網　Http://www.txz-cul.com

2367 白　辰　紀念湯顯祖誕辰450周年國際學術研討會述評
　　　　　　福州師專學報　2000年第5期　頁91-96　2000年10月

2368 劉　雲　高尚的品德　傑出的貢獻——紀念湯顯祖誕辰450周年
　　　　　　南方文物　2000年第3期　頁121-125　2000年

2369 鄒元江　我們該如何紀念湯顯祖？——湯顯祖誕辰450周年與徐朔
　　　　　　方教授對話
　　　　　　戲劇藝術　2000年第3期　頁41-55　2000年
　　　　　　戲曲、戲劇研究（複印報刊資料）　2000年第5期

2370 羅兆榮　天時地利人和　遂昌遺愛情深——紀念湯顯祖誕辰450周年
　　　　　　戲文　2001年第1期　頁28-29　2001年

2371 章　岳　世紀之交紀念湯顯祖國際學術會議綜述
　　　　　　吉林藝術學院學報　2001年第2期　頁31-33　2001年

2372 汪榕培　走向21世紀的湯學研究——在「紀念湯顯祖誕生450周年
　　　　　　學術研討會」上的講話
　　　　　　外語與外語教學　2001年第3期　頁31-34轉頁40
　　　　　　2001年

2373 鄒自振　紀念湯顯祖誕辰450周年國際學術研討會述評
　　　　　　外語與外語教學　2001年第3期　頁37-40　2001年

2374 曾永義　「湯顯祖與「牡丹亭」國際學術研討會」紀要
　　　　　　中國文哲研究通訊　第14卷第2期　頁191-196　2004
　　　　　　年6月

2375 李佳蓮、李相美整理　「湯顯祖與「牡丹亭」國際學術研討會」會
　　　　　　議紀錄
　　　　　　中國文哲研究通訊　第14卷2期　頁161-190　2004年6月

2376 未署名　2006中國‧遂昌湯顯祖文化節暨湯顯祖國際學術研討會將
　　　　　於9月22日至9月25日在遂昌召開
　　　　　　　　度假旅遊　2006年9月　頁118

2377 李小菊　2006中國‧遂昌湯顯祖國際學術研討會綜述
　　　　　　　　戲曲研究　2006年第3期　頁368-373　2006年

2378 胡新平　湯顯祖逝世390周年紀念大會隆重召開
　　　　　　　　撫州日報　2006年9月22日　第1版

2379 陳　軔　湯翁研究呈現縱深發展態勢
　　　　　　　　撫州日報　2006年9月22日　第1版

2380 亞　子　二十年鍥而不舍研究湯公
　　　　　　　　麗水日報　2006年6月9日　第5版

2381 李小菊　2006年中國‧遂昌湯顯祖國際學術研討會舉行
　　　　　　　　中國戲劇　2007年第3期　頁30-31　2007年

2382 王斯琴　為湯顯祖文化節而作
　　　　　　　　岷峨詩稿　2007年第1期　頁29　2007年

2383 吳新雷　赴美參加昆曲《牡丹亭》學術研討會的經歷
　　　　　　　　戲曲研究　2007年第3期　頁395-401　2007年

2384 羅伽祿　《湯顯祖與玉茗四夢》創作研討會述要
　　　　　　　　閩江學院學報　2008年第1期　頁82-85　2008年2月

2385 未署名　永遠的守望　紀念湯顯祖誕辰460周年
　　　　　　　　大江周刊（焦點）　2010年第11期　頁5轉頁4　2010年

2386 余　言　紀念湯顯祖誕辰460周年學術研討會在南昌大學舉行
　　　　　　　　劇本　2011年第2期　頁96　2011年

2387 易　　　第二屆中國（撫州）湯顯祖藝術節舉行
　　　　　　　　中國戲劇　2012年11期　頁43　2012年

2388 袁　曦　湯顯祖與「世界讀書日」
　　　　　　前線　2013年第4期　頁89　2013年

2389 未署名　我校舉辦「湯顯祖與臨川四夢」國際學術會議
　　　　　　戲劇藝術　2010年第3期　頁46　2010年

2390 孟昵娜　碧山流歌古風淳──2010遂昌湯顯祖文化‧勸農節散記
　　　　　　今日浙江　2010年第8期　頁60　2010年

2391 朱旭明　《牡丹亭》相約「回家」──2012中國遂昌湯顯祖文化節
　　　　　　側記
　　　　　　文化交流　2012年第5期　頁5-8　2012年

2392 李慧清　遂昌湯顯祖文化勸農節
　　　　　　大眾文藝　2012年第10期　頁201　2012年

2393 謝柏梁　如何紀念世界文化巨人湯顯祖
　　　　　　光明日報　2012年12月22日　第9版

2394 龔莉芹　湯顯祖大劇院走近百姓贏得滿堂彩
　　　　　　江西日報　2012年11月20日　第A4版

2395 徐　敏、饒品翔　第二屆中國（撫州）湯顯祖藝術節開幕
　　　　　　撫州日報　2012年9月24日　第1版

2396 中共徐聞縣委員會編　嶺南行與臨川夢──湯顯祖學術廣東高端論
　　　　　　壇文集
　　　　　　廣州市　花城出版社　411頁　2016年8月

2397 未署名　紀念湯顯祖逝世400周年上昆《臨川四夢》世界巡演
　　　　　　上海戲劇　2016年第5期　頁0-0　2016年

2398 曾河揚　起「湯莎文化」交流的風帆──2016年遂昌湯顯祖文化節
　　　　　　側記
　　　　　　文化交流　2016年第5期　頁3-7　2016年

2399 羅　陽　如何發揮湯顯祖文化，塑造「特色山城──遂昌」
　　　　　　戲劇之家　2014年第2期　頁163-163　2014年

2400 孫冬甯　啟動傳統感受傳承──「江西撫州紀念湯顯祖逝世400周
　　　　　年文化活動」的感官體驗構建
　　　　　　　　藝術評論　2016年第7期　頁117-122　2016年
2401 未署名　突出鄉情 強調藝術──淺談新形勢下如何做好湯顯祖文
　　　　　化陳列布展
　　　　　　　　江西省博物館集刊　第5期　2014年12月　頁50-52
2402 未署名　緬懷巨匠，文化傳承──紀念湯顯祖逝世400周年
　　　　　　　　藝海　2016年第10期　頁160　2016年10月
2403 肖　毅　紀念湯顯祖，講好中國故事
　　　　　　　　藝術評論　2016年第11期　頁42-47　2016年
2404 蔣　莉　緬懷巨匠，文化傳承──紀念湯顯祖逝世400周年
　　　　　　　　藝海　2016年第10期　頁160　2016年
2405 姚馨靈　湯顯祖戲曲資源的影視產業開發──以《牡丹亭》為例
　　　　　　　　湖北工程學院學報　2016年第5期　頁48-52　2016年
2406 李偉民　2014中國遂昌湯顯祖文化節暨湯顯祖與莎士比亞文化國際
　　　　　學術研討會
　　　　　　　　外國文學動態　2014年第3期　頁26　2014年
2407 蔣　茜　2014湯顯祖與莎士比亞文化國際學術研討會在浙江遂昌召開
　　　　　　　　四川戲劇　2014年第5期　頁118　2014年
2408 劉奇葆　禮敬優秀傳統文化，增強中華文化自信──紀念湯顯祖逝
　　　　　世400周年
　　　　　　　　中國戲劇　2016年第9期　頁4-5　2016年
2409 鄒元江　走向2016湯顯祖──莎士比亞年
　　　　　　　　藝術百家　2016年第5期　頁5-10　2016年
2410 黃建雄　「嶺南行與臨川夢──湯顯祖學術廣東高端論壇」綜述
　　　　　　　　嶺南文史　2016年第3期　頁79-80　2016年

十一　對國外的影響

東華理工大學學報（社會科學版）　2016年第3期
頁299-302　2016年

2421 張　玲　湯顯祖戲劇在海外傳播的契機和途徑
東華理工大學學報（社會科學版）　2016年第3期
頁303-306　2016年

2422 湯逸佩　湯顯祖戲劇的世界影響——從屠岸先生的預言談起
上海藝術評論　2016年第3期　頁75-77　2016年

2423 王喜明　「湯顯祖與世界讀書日」正訛等小考三則
書屋　2016年第5期　頁86-88　2016年

2424 鄒自振　海內外湯顯祖研究的回顧與展望
創作評譚　2016年第3期　頁35-41　2016年

十二　綜合性論文集

2425 華　瑋主編　湯顯祖與牡丹亭（上）
臺北　中央研究院中國文哲研究所　上、下冊　2005
年12月
一、湯顯祖及其文藝思想
曾永義　再說「拗折天下人嗓子」　頁1-70
吳書蔭　湯顯祖交遊和詩文創作年代考略　頁71-104
葉長海　理無情有說湯翁　頁105-136
趙山林　試論《臨川四夢》的文學淵源　頁137-170
王璦玲　論湯顯祖劇作與劇論中之情、理、勢　頁
171-214
二、《牡丹亭》論析
柯慶明　愛情與時代的辯證——《牡丹亭》中的憂患
意識　頁215-258

十三 研究期刊

（一）湯顯祖研究通訊

朱達藝　湯顯祖斷案
　　　　湯顯祖研究通訊　2004年第1期　杭州　中國
　　　　戲曲會湯顯祖研究會　2004年

張石泉　還我尊嚴還我情——贊湯顯祖「四夢」
　　　　湯顯祖研究通訊　2004年第1期　杭州　中國
　　　　戲曲會湯顯祖研究會　2004年

周　秦　《牡丹亭》與蘇州
　　　　湯顯祖研究通訊　2005年第1期　杭州　中國
　　　　戲曲會湯顯祖研究會　2005年

蔡孟珍　《牡丹亭》場上表演的幾個問題
　　　　湯顯祖研究通訊　2005年第1期　杭州　中國
　　　　戲曲會湯顯祖研究會　2005年

白先勇　牡丹亭上三生路——製作「青春版」的來龍
　　　　去脈
　　　　湯顯祖研究通訊　2005年第1期　杭州　中國
　　　　戲曲會湯顯祖研究會　2005年

馮　璐　姹紫嫣紅牡丹亭——與白先勇對話青春版
　　　　《牡丹亭》
　　　　湯顯祖研究通訊　2005年第1期　杭州　中國
　　　　戲曲會湯顯祖研究會　2005年

吳書蔭　對青春版《牡丹亭》演出的思考
　　　　湯顯祖研究通訊　2005年第1期　杭州　中國
　　　　戲曲會湯顯祖研究會　2005年

朱蓓蕾　關於《牡丹亭》演出本結尾的討論
　　　　湯顯祖研究通訊　2005年第1期　杭州　中國
　　　　戲曲會湯顯祖研究會　2005年

（二）湯顯祖研究集刊

張祝平　傅一臣《蘇門嘯》研究　頁322-343

後記　頁344-345

十四　書目文獻

2435 陳美雪　湯顯祖研究文獻目錄

臺北市　臺灣學生書局　215頁　1996年12月

2436 江巨榮　二十世紀《牡丹亭》研究概述

上海戲劇　1999年第10期　頁28-30　1999年

2437 張　莉　湯顯祖研究資料目錄索引（1998-2005）

中華戲曲　2007年第2期　頁340-343　2007年

2438 龔重謨　湯顯祖研究與輯佚

海口市　海南出版社　2009年

2439 戴　云　湯顯祖研究論著索引

中國戲劇研究網　http://www.xiju.net

2440 夜　鴻　湯顯祖及其劇作研究論文

中國戲劇研究網　http://www.xiju.net

2441 王莉莉　湯顯祖研究現狀簡述

重慶科技學院學報（社會科學版）　2013年第1期

頁160-162

2442 雍繁星　20世紀以來湯顯祖研究的回顧與反思

文學遺產　2016年第3期　頁35-46　2016年3月

2443 鄒元江　湯顯祖研究資料目錄索引

湯顯祖研究新論　台北市　國家書店　2005年6月

參考文獻

一　電子文獻

1. 中央研究院歷史語言研究所傅斯年圖書館館藏目錄
　　臺北市　中央研究院

2. 中央研究院中國文哲研究所圖書館館藏目錄
　　臺北市　中央研究院

3. 國家圖書館館藏目錄查詢系統
　　臺北市　國家圖書館

4. 國家圖書館臺灣碩博士論文知識加值系統
　　臺北市　國家圖書館

5. 國家圖書館臺灣期刊論文索引系統
　　臺北市　國家圖書館

6. 國家圖書館臺灣書目整合查詢系統
　　臺北市　國家圖書館

7. 國家圖書館全國圖書書目資訊網
　　臺北市　國家圖書館

8. 國家圖書館漢學中心典藏大陸期刊篇目索引資料庫
　　臺北市　國家圖書館

9. 臺灣文史哲論文集篇目索引系統
　　臺北市　國家圖書館

10.臺灣大學圖書館館藏目錄

　　臺北市　國立臺灣大學圖書館

11.Airiti Library華藝線上圖書館

　　新北市　華藝數位公司

12.港澳期刊資料庫

　　香港　香港中文大學圖書館

13.香港高校圖書聯網（Hong Kong Academic Library Link）

　　香港大學教育資助委員會

14.東洋學文獻類目

　　京都市　京都大學人文科學研究所東洋學文獻中心

15.中國知識資源總庫 [CNKI系列數據庫]

　　北京市　清華大學光碟國家工程研究中心

16.中國期刊全文數據庫 [CNKI系列數據庫]

　　北京市　清華大學光碟國家工程研究中心

17.中國優秀碩士學位論文全文數據庫 [CNKI系列數據庫]

　　北京市

清華大學光碟國家工程研究中心

18.中國博士學位論文全文數據庫 [CNKI系列數據庫]

　　北京市　清華大學光碟國家工程研究中心

19.中國重要報紙全文數據庫 [CNKI系列數據庫]

　　北京市　清華大學光碟國家工程研究中心

20.讀秀中文學術搜索

21.日本「GeNii」學術網站

　　東京市　日本國立情報學研究所（NII）

22.哈佛圖書館館藏目錄

　　波士頓哈佛燕京學社圖書館

23. JSTOR電子書

美國安得魯梅倫基金會

24. JSTOR電子期刊

美國安得魯梅倫基金會

二 紙本文獻

（一）專書

1. 莊一拂編著：《古典戲曲存目彙考》，上海市：上海古籍出版社，1982年

2. 中國大百科全書總編輯委員會「戲曲‧曲藝」編輯委員會、中國大百科全書出版社編輯部編：《中國大百科全書‧戲曲‧曲藝》，北京市：中國大百科全書出版社，1983年

3. 國立清華大學中國語文學系主編：《小說戲曲研究》第五集，臺北市：臺灣聯經出版事業公司，1995年

4. 陳美雪編：《湯顯祖研究文獻目錄》，臺北市：臺灣學生書局，1996年12月

5. 陳美雪：《湯顯祖的戲曲藝術》，臺北市：臺灣學生書局，1997年

6. 王森然遺稿、《中國劇碼辭典》擴編委員會擴編：《中國劇目辭典》，石家莊市：河北教育出版社，1997年

7. 齊森華、陳多、葉長海主編：《中國曲學大辭典》，杭州市：浙江教育出版社，1997年

8. 俞為民校注：《牡丹亭》，收入《中國古代四大名劇》，南京市：江蘇古籍出版社，1998年

9. 華瑋、王璦玲主編：《明清戲曲國際研討會論文集》，臺北市：中央研究院中國文哲研究所籌備處，1998年

10.徐朔方箋校：《湯顯祖全集》，北京市：北京古籍出版社，1999年
　　1月

11.曲家源、白照芹評注：《紫釵記評注》，長春市：吉林人民出版社，
　　2001年

12.曲家源評注：《紫簫記評注》，長春市：吉林人民出版社，2001年

13.李曉評注：《邯鄲記評注》，長春市：吉林人民出版社，2001年

14.苗懷明：《二十世紀戲曲文獻學述略》，北京市：中華書局，2005年
　　6月

15.倪莉：《中國古代戲曲目錄研究綜論》，北京市：知識產權出版社，
　　2010年11月

16.鄒元江：《湯顯祖新論》，上海市：上海人民出版社　2015年

（二）單篇文章

1. 王燕飛：〈二十世紀《牡丹亭》研究綜述〉，《戲劇藝術》2005年第4
　 期，頁33-43，2005年

2. 鄒元江：〈湯顯祖研究資料目錄索引〉，收入鄒元江著《湯顯祖研究
　 新論》，頁500-558，臺北市：國家書店，2005年6月

3. 毛小曼：〈20世紀對南柯記、邯鄲記研究概述〉，《遼寧教育行政學
　 院學報》2005年第9期，頁85-87，2005年9月

4. 李精耕、湯潔：〈從近三十年來國內學術期刊論文看湯顯祖研究〉，
　 《求索》2007年第11期，頁183-185轉頁146，2007年

5. 王雪松、蔣小平：〈20世紀以來《牡丹亭》主題研究綜述〉，《江蘇
　 第二師範學院學報》2014年第10期，頁75-78，2014年

作者索引

編輯說明

一、本索引漢字作者依姓氏筆畫之多寡排列。西方作者按二十六字
　　母之順序排列。

二、各論文有不題作者者，皆繫於五畫「未署名」，及七畫「佚
　　名」之下

三、本索引由林曉敏女士編輯完成，特誌謝忱。

七畫

文學研究叢書・戲曲研究叢刊 0808001

湯顯祖研究文獻目錄續編（1996-2016）

主　　編	陳美雪
編　　輯	毛祥年、鍾婉毓
責任編輯	翁承佑
特約校稿	林秋芬
發 行 人	陳滿銘
總 經 理	梁錦興
總 編 輯	陳滿銘
副總編輯	張晏瑞
編 輯 所	萬卷樓圖書股份有限公司
排　　版	林曉敏
印　　刷	百通科技股份有限公司
封面設計	斐類設計工作室

發　　行　萬卷樓圖書股份有限公司
　　　　　臺北市羅斯福路二段 41 號 6 樓之 3
　　　　　電話 (02)23216565
　　　　　傳真 (02)23218698
　　　　　電郵 SERVICE@WANJUAN.COM.TW
大陸經銷　廈門外圖臺灣書店有限公司
　　　　　電郵 JKB188@188.COM
香港經銷　香港聯合書刊物流有限公司
　　　　　電話 (852)21502100
　　　　　傳真 (852)23560735

ISBN 978-986-478-088-4
2017 年 8 月初版一刷
定價：新臺幣 400 元

如何購買本書：

1. 劃撥購書，請透過以下郵政劃撥帳號：
　　帳號：15624015
　　戶名：萬卷樓圖書股份有限公司

2. 轉帳購書，請透過以下帳戶
　　合作金庫銀行 古亭分行
　　戶名：萬卷樓圖書股份有限公司
　　帳號：0877717092596

3. 網路購書，請透過萬卷樓網站
　　網址 WWW.WANJUAN.COM.TW

大量購書，請直接聯繫我們，將有專人為
您服務。客服：(02)23216565 分機 10

如有缺頁、破損或裝訂錯誤，請寄回更換
版權所有・翻印必究
Copyright©2017 by WanJuanLou Books CO., Ltd.
All Right Reserved　　　　**Printed in Taiwan**

國家圖書館出版品預行編目資料

湯顯祖研究文獻目錄續編(1996-2016) / 陳美
雪主編.-- 初版.-- 臺北市 ：萬卷樓, 2017.08
　　面 ；　　公分
ISBN 978-986-478-088-4(平裝)

1.(明)湯顯祖　2.個人著述目錄　3.研究考訂

017.267　　　　　　　　　　　106008039